MOLIÈRE

L'ÉCOLE DES FEMMES

COMÉDIE

TEXTE INTÉGRAL

Texte conforme à l'édition des Grands Écrivains de la France.

Notes explicatives, questionnaires, bilans, documents et parcours thématique

établis par

Michel BOUTY,
Professeur agrégé des Lettres,
Inspecteur pédagogique régional.

Classiques Hachette

Couverture réalisée avec l'aimable collaboration de la Comédie-Française.
Photographie : Philippe Sohiez.

ISBN : 2.01.019092.9

SOMMAIRE

Molière, gravure de David-Joseph Desvachez, d'après un dessin d'Auguste Sandoz.

En 1662, Molière a quarante ans. Acteur, chef de troupe et auteur, il est depuis peu porté par le succès. Parti pour la province en 1645 à la suite de l'échec de l'Illustre-Théâtre (1643-1645), il rentre à Paris en 1658 après treize années de tournées. Il dispose de la salle du Palais-Royal qu'il partage avec les Comédiens italiens. En même temps que ses propres comédies, il y joue les œuvres d'auteurs divers, en particulier les tragédies de Corneille.

Mais c'est pour son talent de comique qu'il est apprécié. Louis XIV l'invite régulièrement à jouer à la cour. L'Étourdi (1658), les Précieuses ridicules (1659) l'ont fait connaître. Sganarelle ou le cocu imaginaire (1660), l'École des maris (1661), les Fâcheux (1661) ont été de grands succès. Avec l'École des femmes, comédie en cinq actes et en vers, sa huitième pièce, jouée le 26 décembre 1662, Molière achève de donner à la comédie une dignité nouvelle qui en fait la rivale de la tragédie.

La querelle qui s'ouvre à son propos en témoigne : cabale tout d'abord mondaine menée par les marquis, querelle littéraire conduite par des rivaux, écrivains et comédiens de l'Hôtel de Bourgogne qui tiennent pour la tragédie, puis querelle morale engagée par les dévots de la Compagnie du Saint-Sacrement qui n'admettent pas que la liberté satirique de la comédie s'étende à la religion. Molière ayant épousé le 20 février 1662 Armande Béjart, de vingt ans sa cadette, des attaques contre sa vie privée y seront mêlées.

Molière répond par La Critique de l'École des femmes (1er juin 1663) et L'Impromptu de Versailles (octobre 1663), suscité par Louis XIV lui-même. C'est le début d'un combat qui, autour de Tartuffe (1664) et de Dom Juan (1665), sera très difficile pour lui en dépit de l'appui du Roi.

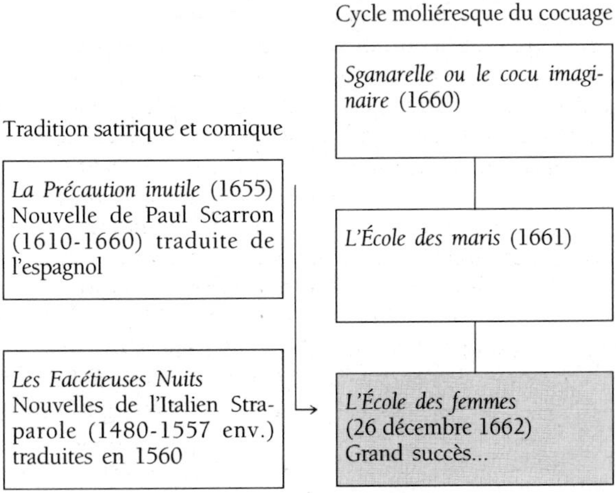

Tradition satirique et comique

La Précaution inutile (1655) Nouvelle de Paul Scarron (1610-1660) traduite de l'espagnol

Les Facétieuses Nuits Nouvelles de l'Italien Straparole (1480-1557 env.) traduites en 1560

Cycle moliéresque du cocuage

Sganarelle ou le cocu imaginaire (1660)

L'École des maris (1661)

L'École des femmes (26 décembre 1662) Grand succès...

... et querelle de *l'École des femmes*

Critique de l'École des femmes (1er juin 1663)
Justification de la pièce.

L'Impromptu de Versailles (octobre 1663)
Plaidoyer pour la dignité de la comédie.

Lire L'École des femmes, c'est replacer dans le contexte littéraire et théâtral qui les a produits deux personnages de fiction qui sont devenus des types auxquels on se réfère : Arnolphe, un quadragénaire hanté par le cocuage, qui prétend s'en protéger en épousant une sotte et se ridiculise ; Agnès, sa pupille, élevée dans l'innocence hors du monde, qui accueille avec ingénuité le premier blondin venu et apprend la ruse à l'école de l'amour. C'est aussi rencontrer Horace, jeune étourdi romanesque qui est cause de la transformation d'Agnès. C'est voir interférer dans l'action un donneur de leçons paradoxales, Chrysalde, des domestiques balourds, Alain et Georgette, un notaire grotesque, des pères qui jouent les utilités. Et c'est d'abord s'amuser d'une comédie d'intrigue sur des thèmes de convention : la précaution inutile, les confidences étourdies, la façon dont l'esprit vient aux filles.

Lire L'École des femmes, c'est aussi découvrir la richesse nouvelle que Molière donne à la satire des caractères et des mœurs ; c'est saisir les suggestions psychologiques et morales que comporte le jeu, mais sans, pour cela, cesser de percevoir le comique de cette « grande comédie ».

Lire L'École des femmes, c'est être attentif au fonctionnement et à la portée du texte, et se préparer ainsi à aborder les interprétations parfois passionnées que cette œuvre complexe a inspirées.

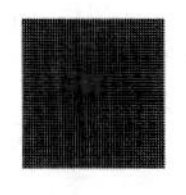

L'ESCOLE DES FEMMES

L'ESCOLE DES FEMMES.

COMEDIE.

Par I. B. P. MOLIERE.

A PARIS,

Chez LOVIS BILLAINE, au second Pilier de la grand' Salle du Palais, à la Palme, & au Grand Cesar.

M. DC. LXIII.

Auec Priuilege du Roy.

PRÉFACE[1]

Bien des gens ont frondé d'abord• cette comédie ; mais les rieurs ont été pour elle, et tout le mal qu'on en a pu dire, n'a pu faire qu'elle n'ait eu un succès dont je me contente•.

Je sais qu'on attend de moi, dans cette impression, quelque préface qui réponde aux censeurs, et rende raison de mon ouvrage ; et sans doute que je suis assez redevable à toutes les personnes qui lui ont donné leur approbation, pour me croire obligé de défendre leur jugement contre celui des autres ; mais il se trouve qu'une grande partie des choses que j'aurais à dire sur ce sujet est déjà dans une dissertation que j'ai faite en dialogue, et dont je ne sais encore ce que je ferai[2]. L'idée de ce dialogue, ou, si l'on veut, de cette petite comédie, me vint après les deux ou trois premières représentations de ma pièce. Je la dis, cette idée, dans une maison où je me trouvai un soir ; et d'abord une personne de qualité, dont l'esprit est assez connu dans le monde, et qui me fait l'honneur de m'aimer[3], trouva le projet assez à son gré, non seulement pour me solliciter d'y mettre la main, mais encore pour l'y mettre lui-même ; et je fus étonné que, deux jours après, il me montra toute l'affaire exécutée d'une manière, à la vérité, beaucoup plus galante et plus spirituelle que je ne puis faire, mais où je trouvai des choses trop avantageuses pour moi ; et j'eus peur que si je produisais cet ouvrage sur notre théâtre, on ne m'accusât d'abord d'avoir mendié les louanges qu'on m'y donnait. Cependant cela m'empêcha, par quelque considération, d'achever ce que j'avais commencé. Mais tant de gens me pressent tous les jours de le faire, que je ne sais ce qui en sera ; et cette incertitude est cause que je ne mets point dans cette Préface ce qu'on verra dans *la Critique*, en cas que je me résolve à la faire paraître. S'il faut que cela soit, je le dis encore, ce sera seulement pour venger le public du chagrin• délicat de certaines gens ; car, pour moi, je m'en tiens assez vengé par la réussite de ma comédie ; et je souhaite que toutes celles que je pourrai faire soient traitées par eux comme celle-ci, pourvu que le reste suive de même.

---

1. Première édition de *L'École des Femmes* (achevé d'imprimer du 17 mars 1663).
2. Ce sera *La Critique de l'École des Femmes*, comédie en un acte, jouée le 1er juin 1663.
3. Il s'agit de l'abbé du Buisson, « un homme de qualité qui a autant d'esprit qu'on en peut avoir » (Somaize, *Dictionnaire des Précieuses*).

PERSONNAGES

ARNOLPHE[1], autrement M. de la Souche.
AGNÈS[2], jeune fille innocente, élevée par Arnolphe.
HORACE[3], amant d'Agnès.
ALAIN, paysan, valet d'Arnolphe.
GEORGETTE, paysanne, servante d'Arnolphe.
CHRYSALDE, ami d'Arnolphe.
ENRIQUE, beau-frère de Chrysalde.
ORONTE, père d'Horace, et grand ami d'Arnolphe.
UN NOTAIRE[4].

La scène est dans une place de ville.

La présente édition suit, en modernisant l'orthographe, celle des Grands Écrivains de la France (Hachette, 1873-1900), établie d'après l'édition originale de 1663.

Les mots du texte suivis d'un signe (•) sont expliqués dans le lexique p. 188.

1. *Arnolphe* : rôle tenu par Molière.
2. *Agnès* : rôle tenu par Mlle de Brie.
3. *Horace* : rôle vraisemblablement tenu par La Grange.
4. Le notaire n'est pas cité dans l'édition originale de 1663.

ACTE PREMIER

SCÈNE PREMIÈRE. CHRYSALDE, ARNOLPHE

CHRYSALDE

Vous venez, dites-vous, pour lui donner la main[1] ?

ARNOLPHE

Oui, je veux terminer la chose dans demain[2].

CHRYSALDE

Nous sommes ici seuls ; et l'on peut, ce me semble,
Sans crainte d'être ouïs, y discourir ensemble.
5 Voulez-vous qu'en ami je vous ouvre mon cœur ?
Votre dessein pour vous me fait trembler de peur ;
Et de quelque façon que vous tourniez l'affaire,
Prendre femme est à vous[3] un coup bien téméraire.

ARNOLPHE

Il est vrai, notre ami[4]. Peut-être que chez vous
10 Vous trouvez des sujets de crainte pour chez nous ;
Et votre front, je crois, veut que du mariage
Les cornes[5] soient partout l'infaillible apanage[6].

CHRYSALDE

Ce sont coups du hasard, dont on n'est point garant[7],
Et bien sot, ce me semble, est le soin qu'on en prend.
15 Mais quand je crains pour vous, c'est cette raillerie[8]
Dont cent pauvres maris ont souffert la furie• ;
Car enfin vous savez qu'il n'est grands ni petits[9]

---

1. *lui donner la main* : l'épouser.
2. *dans demain* : demain (cf. « dans deux jours »).
3. *à vous* : pour vous.
4. *notre ami* : mon ami (avec une nuance de supériorité).
5. *les cornes* : symbole traditionnel du ridicule et, spécialement, de celui du cocuage.
6. *apanage* : bien propre.
7. *garant* : responsable.
8. *c'est cette raillerie* : s.-e. (sous-entendu) « que je crains ».
9. *il n'est grands ni petits* : il s'agit du rang social.

Que de votre critique on ait vus garantis ;
Car vos plus grands plaisirs sont, partout où vous êtes,
20 De faire cent éclats des intrigues secrètes...

ARNOLPHE

Fort bien : est-il au monde une autre ville aussi
Où l'on ait des maris si patients qu'ici ?
Est-ce qu'on n'en voit pas, de toutes les espèces,
Qui sont accommodés chez eux de toutes pièces[1] ?
25 L'un amasse du bien, dont sa femme fait part
À ceux qui prennent soin de le faire cornard ;
L'autre, un peu plus heureux, mais non pas moins infâme,
Voit faire tous les jours des présents à sa femme,
Et d'aucun soin• jaloux n'a l'esprit combattu,
30 Parce qu'elle lui dit que c'est pour sa vertu.
L'un fait beaucoup de bruit qui ne lui sert de guères ;
L'autre en toute douceur laisse aller les affaires,
Et voyant arriver chez lui le damoiseau•,
Prend fort honnêtement• ses gants et son manteau.
35 L'une de son galant•, en adroite femelle,
Fait fausse confidence[2] à son époux fidèle,
Qui dort en sûreté sur un pareil appas,
Et le plaint, ce galant, des soins qu'il ne perd pas ;
L'autre, pour se purger de sa magnificence[3],
40 Dit qu'elle gagne au jeu l'argent qu'elle dépense,
Et le mari benêt, sans songer à quel jeu,
Sur les gains qu'elle fait rend des grâces à Dieu.
Enfin, ce sont partout des sujets de satire ;
Et comme spectateur ne puis-je pas en rire ?
45 Puis-je pas[4] de nos sots...[5]

---

1. *accommodés de toutes pièces* : ridiculisés de toutes les façons.
2. *fausse confidence* : confidence trompeuse.
3. *pour se purger de sa magnificence* : pour s'excuser de son luxe.
4. *puis-je pas... ?* : l'ellipse de la négation « ne » dans les phrases interro-négatives est courante au XVIIe siècle et fréquente dans *L'École des femmes.*
5. *sot* : euphémisme ironique usuel au XVIIe siècle pour « cocu ».

CHRYSALDE

45 Oui ; mais qui rit d'autrui
Doit craindre qu'en revanche[1] on rie aussi de lui.
J'entends parler le monde ; et des gens se délassent
À venir débiter les choses qui se passent ;
Mais, quoi que l'on divulgue aux endroits où je suis,
50 Jamais on ne m'a vu triompher de ces bruits[2].
J'y suis assez modeste[3] ; et, bien qu'aux occurrences[4]
Je puisse condamner certaines tolérances,
Que mon dessein ne soit de souffrir• nullement
Ce que d'aucuns maris[5] souffrent paisiblement,
55 Pourtant je n'ai jamais affecté de[6] le dire ;
Car enfin il faut craindre un revers de satire[7]
Et l'on ne doit jamais jurer sur de tels cas
De ce qu'on pourra faire, ou bien ne faire pas.
Ainsi, quand à mon front, par un sort qui tout mène,
60 Il serait arrivé quelque disgrâce humaine,
Après mon procédé•, je suis presque certain
Qu'on se contentera de s'en rire sous main[8] ;
Et peut-être qu'encor j'aurai cet avantage,
Que quelques bonnes gens diront que c'est dommage.
65 Mais de vous, cher compère, il en est autrement :
Je vous le dis encor, vous risquez diablement.
Comme sur les maris accusés de souffrance[9]
De tout temps votre langue a daubé[10] d'importance,
Qu'on vous a vu contre eux un diable déchaîné,
70 Vous devez marcher droit pour n'être point berné[11] ;
Et s'il faut que sur vous on ait la moindre prise,

---

1. *en revanche* : en retour.
2. *triompher de ces bruits* : (me) réjouir de ces bruits.
3. *modeste* : modéré.
4. *aux occurrences* : à l'occasion.
5. *d'aucuns maris* : certains maris.
6. *je n'ai jamais affecté de* : je n'ai jamais mis d'affectation à.
7. *un revers de satire* : un retournement de la satire.
8. *sous main* : en se cachant.
9. *souffrance* : complaisance (cf. « souffrir » dans le lexique).
10. *dauber sur quelqu'un* : railler quelqu'un.
11. *berné* : tourné en ridicule.

Gare qu'aux carrefours on ne vous tympanise[1],
Et...

ARNOLPHE

Mon Dieu, notre ami, ne vous tourmentez point ;
Bien huppé[2] qui pourra m'attraper sur ce point.
75 Je sais les tours rusés et les subtiles trames[3]
Dont pour nous en planter[4] savent user les femmes,
Et comme on est dupé par leurs dextérités[5] ;
Contre cet accident j'ai pris mes sûretés ;
Et celle que j'épouse a toute l'innocence
80 Qui peut sauver mon front de maligne influence[6].

CHRYSALDE

Et que prétendez-vous qu'une sotte, en un mot...

ARNOLPHE

Épouser une sotte est pour[7] n'être point sot•.
Je crois, en bon chrétien, votre moitié fort sage ;
Mais une femme habile• est un mauvais présage ;
85 Et je sais ce qu'il coûte à de certaines gens
Pour avoir pris les leurs avec trop de talents.
Moi, j'irais me charger d'une spirituelle[8]
Qui ne parlerait rien que cercle et que ruelle[9],
Qui de prose et de vers ferait de doux écrits,
90 Et que visiteraient marquis et beaux esprits,
Tandis que, sous le nom du mari de Madame,
Je serais comme un saint que pas un ne réclame[10] ?
Non, non, je ne veux point d'un esprit qui soit haut,
Et femme qui compose en sait plus qu'il ne faut.

---

1. *tympaniser* : critiquer publiquement.
2. *bien huppé qui* : bien malin qui (familier).
3. *trames* : intrigues secrètes.
4. *pour nous en planter* : pour nous planter des cornes.
5. *leurs dextérités* : leurs tours d'adresse.
6. *maligne influence* : Arnolphe utilise plaisamment le langage de l'astrologie ; voir v. 1182.
7. *est pour* : a pour but de.
8. *une spirituelle* : une femme d'esprit.
9. *ruelle* : salon (la ruelle est, au sens propre, l'espace entre le lit et le mur ; certaines grandes dames recevaient leurs visiteurs autour de leur lit, dans leur chambre).
10. *un saint que pas un ne réclame* : un saint à qui personne ne s'adresse.

95 Je prétends que la mienne, en clartés peu sublime,
Même ne sache pas ce que c'est qu'une rime;
Et s'il faut qu'avec elle on joue au corbillon[1]
Et qu'on vienne à lui dire à son tour : « Qu'y met-on ? »
Je veux qu'elle réponde : « Une tarte à la crème »;
100 En un mot, qu'elle soit d'une ignorance extrême;
Et c'est assez pour elle, à vous en bien parler[2],
De savoir prier Dieu, m'aimer, coudre et filer.

CHRYSALDE
Une femme stupide est donc votre marotte[3] ?

ARNOLPHE
Tant, que j'aimerais mieux une laide bien sotte
105 Qu'une femme fort belle avec beaucoup d'esprit.

CHRYSALDE
L'esprit et la beauté...

ARNOLPHE
L'honnêteté suffit.

CHRYSALDE
Mais comment voulez-vous, après tout, qu'une bête
Puisse jamais savoir ce que c'est qu'être honnête ?
Outre qu'il est assez ennuyeux, que je crois,
110 D'avoir toute sa vie une bête avec soi,
Pensez-vous le bien prendre[4], et que sur votre idée
La sûreté[5] d'un front puisse être bien fondée ?
Une femme d'esprit peut trahir son devoir;
Mais il faut pour le moins qu'elle ose le vouloir;
115 Et la stupide au sien peut manquer d'ordinaire[6],
Sans en avoir l'envie et sans penser le faire.

---

1. *corbillon* : petite corbeille de boulanger; dans le jeu d'enfants ainsi nommé, la réponse à la question : « Qu'y met-on ? » doit rimer avec celle-ci.
2. *à vous en bien parler* : pour tout vous dire.
3. *marotte* : idée fixe.
4. *le bien prendre* : bien prendre le problème.
5. *la sûreté* : la sécurité.
6. *d'ordinaire* : d'une façon habituelle.

ARNOLPHE

À ce bel argument, à ce discours profond,
Ce que[1] Pantagruel à Panurge répond :
Pressez-moi de me joindre à femme autre que sotte,
120 Prêchez, patrocinez jusqu'à la Pentecôte,
Vous serez ébahi, quand vous serez au bout,
Que vous ne m'aurez rien persuadé du tout.

CHRYSALDE

Je ne vous dis plus mot.

ARNOLPHE

Chacun a sa méthode.
En femme, comme en tout, je veux suivre ma mode.
125 Je me vois riche assez pour pouvoir, que je crois,
Choisir une moitié qui tienne tout de moi,
Et de qui la soumise et pleine dépendance
N'ait à me reprocher[2] aucun bien ni naissance.
Un air doux et posé, parmi d'autres enfants,
130 M'inspira de l'amour pour elle dès quatre ans ;
Sa mère se trouvant de pauvreté pressée,
De la lui demander il me vint la pensée ;
Et la bonne paysanne[3], apprenant mon désir,
À s'ôter cette charge eut beaucoup de plaisir.
135 Dans un petit couvent, loin de toute pratique[4],
Je la fis élever selon ma politique,
C'est-à-dire ordonnant quels soins on emploierait
Pour la rendre idiote[5] autant qu'il se pourrait.
Dieu merci, le succès[6] a suivi mon attente ;
140 Et grande, je l'ai vue à tel point innocente,
Que j'ai béni le Ciel d'avoir trouvé mon fait[7],

1. *ce que* : je réponds ce que (ellipse du verbe). À Panurge qui fait l'éloge des dettes, Pantagruel répond : « Mais prêchez et patrocinez (= parlez comme un avocat) d'ici à la Pentecôte, enfin vous serez ébahi comme rien ne m'aurez persuadé... » (Rabelais, *Tiers Livre*, ch. V).
2. *n'ait à me reprocher...* : n'ait à me rappeler en m'accusant d'ingratitude ni bien apporté en dot ni naissance noble.
3. *paysanne* : le mot est dissyllabique au XVIIe siècle.
4. *pratique* : fréquentation.
5. *idiote* : simple, ignorante (sens usuel au XVIe siècle et encore au XVIIe siècle).
6. *le succès* : le résultat.
7. *mon fait* : mon affaire.

Pour me faire une femme au gré de mon souhait.
Je l'ai donc retirée ; et comme ma demeure
À cent sortes de monde est ouverte à toute heure,
145 Je l'ai mise à l'écart, comme il faut tout prévoir,
Dans cette autre maison où nul ne me vient voir ;
Et pour ne point gâter sa bonté naturelle,
Je n'y tiens[1] que des gens* tout aussi simples qu'elle.
Vous me direz : Pourquoi cette narration ?
150 C'est pour vous rendre instruit de ma précaution.
Le résultat de tout est qu'en ami fidèle[2]
Ce soir je vous invite à souper avec elle ;
Je veux que vous puissiez un peu l'examiner,
Et voir si de mon choix on me doit condamner.

CHRYSALDE
155 J'y consens.

ARNOLPHE
155 Vous pourrez, dans cette conférence,
Juger de sa personne et de son innocence.

CHRYSALDE
Pour cet article-là, ce que vous m'avez dit
Ne peut...

ARNOLPHE
La vérité passe encor mon récit.
Dans ses simplicités[3] à tous coups je l'admire[4],
160 Et parfois elle en dit dont je pâme de rire.
L'autre jour (pourrait-on se le persuader ?)
Elle était fort en peine, et me vint demander,
Avec une innocence à nulle autre pareille,
Si les enfants qu'on fait se faisaient par l'oreille[5].

1. *je n'y tiens* : je n'y entretiens.
2. *en ami fidèle* : à rattacher à « vous » dans « je vous invite ».
3. *ses simplicités* : les manifestations de sa simplicité.
4. *je l'admire* : marque l'étonnement, et non l'admiration au sens actuel de ce mot.
5. *si les enfants qu'on fait se faisaient par l'oreille* : dans sa naïveté, Agnès applique à la naissance de tous les enfants ce que ses livres de prières lui disent de la conception du Christ : « Réjouis-toi, Vierge, mère du Christ, qui a conçu par l'oreille. » (D'après éd. Molière, *Œuvres complètes*, par G. Couton, Pléiade, tome I, p. 1269-1270.)

CHRYSALDE

165 Je me réjouis fort, Seigneur Arnolphe...

ARNOLPHE

165 Bon!

Me voulez-vous toujours appeler de ce nom?

CHRYSALDE

Ah! malgré que j'en aie, il me vient à la bouche,
Et jamais je ne songe à Monsieur de la Souche.
Qui diable vous a fait aussi vous aviser,
170 À quarante et deux ans, de vous débaptiser,
Et d'un vieux tronc pourri de votre métairie
Vous faire dans le monde un nom de seigneurie[1]?

ARNOLPHE

Outre que la maison par ce nom se connaît,
La Souche plus qu'Arnolphe à mes oreilles plaît[2].

CHRYSALDE

175 Quel abus de quitter le vrai nom de ses pères
Pour en vouloir prendre un bâti sur des chimères!
De la plupart des gens c'est la démangeaison;
Et, sans vous embrasser dans la comparaison,
Je sais un paysan qu'on appelait Gros-Pierre,
180 Qui n'ayant pour tout bien qu'un seul quartier de terre,
Y fit tout à l'entour faire un fossé bourbeux,
Et de Monsieur de l'Isle en prit le nom pompeux.

ARNOLPHE

Vous pourriez vous passer d'exemples de la sorte.
Mais enfin de la Souche est le nom que je porte :
185 J'y vois de la raison, j'y trouve des appas;
Et m'appeler de l'autre est ne m'obliger pas.

---

1. *un nom de seigneurie* : un nom de domaine seigneurial.
2. *la Souche plus qu'Arnolphe à mes oreilles plaît* : saint Arnolphe est, depuis le Moyen Âge, le patron des cocus.

CHRYSALDE

Cependant la plupart ont peine à s'y soumettre,
Et je vois même encor des adresses de lettre...

ARNOLPHE

Je le souffre• aisément de qui n'est pas instruit;
190 Mais vous...

CHRYSALDE

Soit : là-dessus nous n'aurons point de bruit[1],
Et je prendrai le soin d'accoutumer ma bouche
À ne plus vous nommer que Monsieur de la Souche.

ARNOLPHE

Adieu. Je frappe ici, pour donner le bonjour,
Et dire seulement que je suis de retour.

CHRYSALDE, *s'en allant*

195 Ma foi, je le tiens fou[2] de toutes les manières.

ARNOLPHE

Il est un peu blessé[3] sur certaines matières.
Chose étrange de voir comme avec passion
Un chacun est chaussé de son opinion!
Holà!...

---

1. *nous n'aurons point de bruit* : nous n'aurons point de querelle.
2. *je le tiens fou* : je le tiens pour fou.
3. *un peu blessé* : s.-e. « du cerveau »; se dit d'un extravagant (Furetière).

Questions

Compréhension

1. *Que s'apprête à faire Arnolphe? Quel ton son ami Chrysalde prend-il pour s'en étonner? Comment Arnolphe réagit-il à ses propos (v. 1-12)?*

2. *Quel sujet est mis en débat? Qui Arnolphe raille-t-il? De quelle tournure d'esprit donne-t-il des preuves? Quel point de vue Chrysalde lui oppose-t-il par moquerie? Quelle mise en garde (v. 13-72)?*

3. *Quel plan Arnolphe a-t-il conçu pour préserver l'honneur de son front (v. 73-116)? Quelles objections Chrysalde lui fait-il (v. 107-116)? Quel enjeu comique se trouve défini?*

4. *Qu'apprend-on de singulier sur celle qu'Arnolphe veut épouser? Quels mérites lui trouve-t-il? Quels sentiments montre-t-il à son égard (v. 123-164) ? Quel est l'effet théâtral de la « précaution » (v. 150) dont Arnolphe fait confidence à Chrysalde?*

5. *Pourquoi Arnolphe veut-il se faire appeler M. de la Souche (v. 165-192)? Expliquez le vers 174 (cf. note 2 p. 20). Comment Chrysalde interprète-t-il, pour sa part, la volonté d'Arnolphe de changer de nom? Quel thème satirique annexe est ainsi introduit?*

6. *Dans quel registre l'action s'engage-t-elle? Récapitulez les faits qui le définissent?*

7. *Quels problèmes de mœurs et de morale sont en même temps posés?*

Ecriture

8. *Relevez et classez selon leur registre et pour chacun des personnages les termes dans lesquels il est parlé de l'infidélité conjugale.*

9. *Étudiez*
— la tirade d'Arnolphe sur l'infortune des maris (v. 21-45) : syntaxe du texte, rythme, vocabulaire; exercez-vous à la dire.
— la narration de l'histoire d'Agnès par Arnolphe (v. 129-150) : termes dépeignant Agnès, termes révélateurs du caractère d'Arnolphe, syntaxe du texte et rythme; exercez-vous à la dire. Quel est l'effet de l'alexandrin sur l'écriture?

Mise en scène

10. *Sur quelle structure cette exposition est-elle bâtie? Repérez-en les articulations et les effets majeurs.*

SCÈNE 2. ALAIN, GEORGETTE, ARNOLPHE

ALAIN
Qui heurte?
ARNOLPHE
Ouvrez. On aura, que je pense,
200 Grande joie à me voir après dix jours d'absence.
ALAIN
Qui va là?
ARNOLPHE
Moi.
ALAIN
Georgette?
GEORGETTE
Hé bien?
ALAIN
Ouvre là-bas.
GEORGETTE
Vas-y, toi.
ALAIN
Vas-y, toi.
GEORGETTE
Ma foi, je n'irai pas.
ALAIN
Je n'irai pas aussi.
ARNOLPHE
Belle cérémonie,
Pour me laisser dehors! Holà ho! je vous prie.
GEORGETTE
205 Qui frappe?
ARNOLPHE
Votre maître.
GEORGETTE
Alain?
ALAIN
Quoi?
GEORGETTE
C'est Monsieur.
Ouvre vite.

ALAIN

Ouvre, toi.

GEORGETTE

Je souffle notre feu.

ALAIN

J'empêche, peur du chat, que mon moineau ne sorte.

ARNOLPHE

Quiconque de vous deux n'ouvrira pas la porte
N'aura point à manger de plus de quatre jours.
210 Ah!

GEORGETTE

Par quelle raison y venir, quand j'y cours?

ALAIN

Pourquoi plutôt que moi? Le plaisant strodagème[1]!

GEORGETTE

Ôte-toi donc de là.

ALAIN

Non, ôte-toi, toi-même.

GEORGETTE

Je veux ouvrir la porte.

ALAIN

Et je veux l'ouvrir, moi.

GEORGETTE

Tu ne l'ouvriras pas.

ALAIN

Ni toi non plus.

GEORGETTE

Ni toi.

ARNOLPHE

215 Il faut que j'aie ici l'âme bien patiente!

ALAIN

Au moins, c'est moi, Monsieur.

GEORGETTE

Je suis votre servante,
C'est moi.

---

1. *strodagème* : Alain déforme le mot *stratagème*.

ALAIN

Sans le respect de Monsieur que voilà,

Je te...

ARNOLPHE, *recevant un coup d'Alain*

Peste!

ALAIN

Pardon.

ARNOLPHE

Voyez ce lourdaud-là!

ALAIN

C'est elle aussi, Monsieur...

ARNOLPHE

Que tous deux on se taise.

220 Songez à me répondre, et laissons là fadaise[1].

Hé bien, Alain, comment se porte-t-on ici?

ALAIN

Monsieur, nous nous... Monsieur, nous nous por... Dieu [merci,

Nous nous...

(Arnolphe ôte par trois fois le chapeau de dessus la tête d'Alain.)

ARNOLPHE

Qui vous apprend, impertinente bête,

À parler devant moi le chapeau sur la tête?

ALAIN

225 Vous faites bien, j'ai tort.

ARNOLPHE, *à Alain*

Faites descendre Agnès.

(À Georgette.)

Lorsque je m'en allai, fut-elle triste après?

GEORGETTE

Triste? Non.

ARNOLPHE

Non?

GEORGETTE

Si fait[2].

---

1. *la fadaise* : le mot s'emploie plutôt au pluriel ; = les sottises.
2. *si fait* : si, bien sûr.

ARNOLPHE

Pourquoi donc?...

GEORGETTE

Oui, je meure[1],
Elle vous croyait voir de retour à toute heure.
Et nous n'oyions[2] jamais passer devant chez nous
230 Cheval, âne, ou mulet, qu'elle ne prît pour vous.

SCÈNE 3. AGNÈS, ALAIN, GEORGETTE, ARNOLPHE

ARNOLPHE

La besogne[3] à la main! c'est un bon témoignage.
Hé bien, Agnès, je suis de retour de voyage :
En êtes-vous bien aise?

AGNÈS

Oui, Monsieur, Dieu merci.

ARNOLPHE

Et moi, de vous revoir je suis bien aise aussi.
235 Vous vous êtes toujours, comme on voit, bien portée?

AGNÈS

Hors les puces, qui m'ont la nuit inquiétée•.

ARNOLPHE

Ah! vous aurez dans peu quelqu'un pour les chasser.

AGNÈS

Vous me ferez plaisir.

ARNOLPHE

Je le puis bien penser.
Que faites-vous donc là?

AGNÈS

Je me fais des cornettes[4].
240 Vos chemises de nuit et vos coiffes[5] sont faites.

---

1. *je meure* : ellipse pour « Que je meure, si je mens! ».
2. *nous n'oyions* : nous n'entendions (du verbe ouïr).
3. *la besogne* : l'ouvrage.
4. *cornette* : coiffe portée la nuit et à la maison (d'après le *Dictionnaire* de Furetière, 1690).
5. *coiffe* : garniture intérieure de chapeau ou de bonnet de nuit.

ARNOLPHE

Ah! voilà qui va bien. Allez, montez là-haut :
Ne vous ennuyez point, je reviendrai tantôt,
Et je vous parlerai d'affaires importantes.
(Tous étant rentrés.)
Héroïnes du temps, Mesdames les savantes,
245 Pousseuses de tendresse[1] et de beaux sentiments,
Je défie à la fois tous vos vers, vos romans,
Vos lettres, billets doux, toute votre science
De valoir cette honnête et pudique ignorance.

1. *pousseuses de tendresse* : expression qui tourne en dérision le langage des précieuses : « Il faut qu'un amant, pour être agréable, sache débiter les beaux sentiments, pousser le doux, le tendre et le passionné... » (*Les Précieuses ridicules*, sc. IV).

Questions

Compréhension

1. *Où Alain et Georgette se trouvent-ils tout d'abord? Distinguez leurs comportements successifs à l'arrivée de leur maître. Quel fait, dont Arnolphe s'est vanté devant Chrysalde (cf. v. 148), la scène illustre-t-elle?*

2. *Explicitez les pensées que trahissent les questions d'Arnolphe à Georgette (v. 226-230).*

3. *Sous quel aspect Agnès apparaît-elle à la scène 3?*

4. *Quels sentiments Arnolphe lui témoigne-t-il? De quelles « affaires importantes » a-t-il dessein de lui parler (v. 243)? Quel est le rôle des paroles qu'il prononce ensuite hors de sa présence (v. 244-250)?*

Écriture

5. *Boursault, rival et adversaire de Molière, dans sa comédie* Le Portrait du peintre *(1663), prête au poète Lizidor des railleries contre les procédés comiques de la scène 2 et contre le vers : « Hors les puces, qui m'ont la nuit inquiétée » (v. 236). Quel registre du comique conteste-t-il? Qu'en pensez-vous?*

Mise en scène

6. *Au nom de l'unité de lieu, toute l'action de la pièce se déroule sur « une place de ville ». Ainsi que Donneau de Visé et d'autres l'ont immédiatement fait remarquer, il est peu vraisemblable qu'Arnolphe, qui est si méfiant, fasse sortir Agnès sur la place pour lui parler. Cette difficulté aurait été résolue, au début du* XVIIe *siècle, par un décor à compartiments. Louis Jouvet, dans sa mise en scène de 1936, avait prévu, pour les scènes avec Agnès, un jardin aux murs mobiles qui s'ouvraient (cf. p. 78). Cherchez les solutions adoptées pour cet épisode dans les mises en scène dont vous disposez.*

SCÈNE 4. HORACE, ARNOLPHE

ARNOLPHE
Ce n'est point par le bien[1] qu'il faut être ébloui;
250 Et pourvu que l'honneur soit... Que vois-je? Est-ce... Oui.
Je me trompe. Nenni[2]. Si fait[3]. Non, c'est lui-même,
Hor...

HORACE
Seigneur Ar...

ARNOLPHE
Horace!

HORACE
Arnolphe!

ARNOLPHE
Ah! joie extrême!
Et depuis quand ici?

HORACE
Depuis neuf jours.

ARNOLPHE
Vraiment?

HORACE
Je fus d'abord• chez vous, mais inutilement.

ARNOLPHE
255 J'étais à la campagne.

HORACE
Oui, depuis deux journées.

ARNOLPHE
Oh! comme les enfants croissent en peu d'années!
J'admire de le voir au point où le voilà,
Après que je l'ai vu pas plus grand que cela.

1. *le bien* : la fortune.
2. *nenni* : non pas.
3. *si fait* : cf. v. 227.

HORACE

Vous voyez.

ARNOLPHE

Mais, de grâce, Oronte votre père,
260 Mon bon et cher ami, que j'estime et révère,
Que fait-il? que dit-il? est-il toujours gaillard?
À tout ce qui le touche, il sait que je prends part.
Nous ne nous sommes vus depuis quatre ans ensemble,
Ni, qui plus est, écrit l'un à l'autre, me semble.

HORACE

265 Il est, Seigneur Arnolphe, encor plus gai que nous,
Et j'avais de sa part une lettre pour vous;
Mais, depuis, par une autre il m'apprend sa venue,
Et la raison encor ne m'en est pas connue.
Savez-vous qui peut être un de vos citoyens[1]
270 Qui retourne en ces lieux avec beaucoup de biens
Qu'il s'est en quatorze ans acquis dans l'Amérique?

ARNOLPHE

Non. Vous a-t-on point dit comme• on le nomme?

HORACE

Enrique.

ARNOLPHE

Non.

HORACE

Mon père m'en parle, et qu'il est revenu[2],
Comme s'il devait m'être entièrement connu,
275 Et m'écrit qu'en chemin ensemble ils se vont mettre
Pour un fait important que ne dit point sa lettre.

ARNOLPHE

J'aurai certainement grande joie à le voir,
Et pour le régaler• je ferai mon pouvoir[3].

(Après avoir lu la lettre.)

---

1. *un de vos citoyens* : un de vos concitoyens.
2. *et qu'il est revenu* : et dit qu'il est revenu.
3. *je ferai mon pouvoir* : je ferai tout mon possible.

Il faut pour des amis des lettres moins civiles,
280 Et tous ces compliments sont choses inutiles.
Sans qu'il prît le souci de m'en écrire rien,
Vous pouvez librement disposer de mon bien.

HORACE

Je suis homme à saisir les gens par leurs paroles,
Et j'ai présentement besoin de cent pistoles[1].

ARNOLPHE

285 Ma foi, c'est m'obliger que d'en user ainsi,
Et je me réjouis de les avoir ici.
Gardez aussi la bourse.

HORACE

Il faut...

ARNOLPHE

Laissons ce style[2].
Eh bien! comment encor trouvez-vous cette ville?

HORACE

Nombreuse en citoyens, superbe en bâtiments,
290 Et j'en crois merveilleux les divertissements.

ARNOLPHE

Chacun a ses plaisirs, qu'il se fait à sa guise;
Mais, pour ceux que du nom de galants• on baptise,
Ils ont en ce pays de quoi se contenter•,
Car les femmes y sont faites à coqueter[3].
295 On trouve d'humeur douce et la brune et la blonde,
Et les maris aussi les plus bénins[4] du monde;
C'est un plaisir de prince; et des tours que je vois
Je me donne souvent la comédie à moi.
Peut-être en avez-vous déjà féru[5] quelqu'une.

---

1. *cent pistoles* : la pistole est une monnaie d'or espagnole qui avait cours en France; elle vaut 11 livres tournois. Horace demande à Arnolphe une somme très importante (cf. *Argent**, Index des thèmes p. 172).
2. *laissons ce style* : Arnolphe écarte la proposition d'Horace de lui signer une reconnaissance de dette.
3. *faites à coqueter* : habituées à flirter.
4. *bénins* : indulgents.
5. *féru* : blessé (s.-e. « d'amour »); Furetière signale ce participe comme d'emploi burlesque.

300 Vous est-il point encor arrivé de fortune[1] ?
Les gens faits comme vous font plus que les écus,
Et vous êtes de taille à faire des cocus.

HORACE
À ne vous rien cacher de la vérité pure,
J'ai d'amour en ces lieux eu certaine aventure,
305 Et l'amitié m'oblige à vous en faire part.

ARNOLPHE
Bon ! voici de nouveau quelque conte gaillard ;
Et ce sera de quoi mettre sur mes tablettes.

HORACE
Mais, de grâce, qu'au moins ces choses soient secrètes.

ARNOLPHE
Oh !

HORACE
Vous n'ignorez pas qu'en ces occasions
310 Un secret éventé rompt nos précautions.
Je vous avouerai donc avec pleine franchise
Qu'ici d'une beauté mon âme s'est éprise.
Mes petits soins d'abord• ont eu tant de succès
Que je me suis chez elle ouvert un doux accès ;
315 Et, sans trop me vanter, ni lui faire une injure,
Mes affaires y sont en fort bonne posture.

ARNOLPHE, *riant*
Et c'est ?

HORACE, *lui montrant le logis d'Agnès*
Un jeune objet• qui loge en ce logis
Dont vous voyez d'ici que les murs sont rougis ;
Simple[2], à la vérité, par l'erreur sans seconde
320 D'un homme qui la cache au commerce du monde,
Mais qui, dans l'ignorance où l'on veut l'asservir,
Fait briller des attraits capables de ravir ;
Un air tout engageant, je ne sais quoi de tendre,

1. *fortune* : bonne fortune.
2. *simple* : naïve.

Dont il n'est point de cœur qui se puisse défendre.
325 Mais peut-être il n'est pas que vous n'ayez bien vu
Ce jeune astre d'amour de tant d'attraits pourvu :
C'est Agnès qu'on l'appelle.

ARNOLPHE, *à part*

Ah ! je crève !

HORACE

Pour l'homme,
C'est, je crois, de la Zousse ou Souche qu'on le nomme ;
Je ne me suis pas fort arrêté sur le nom ;
330 Riche, à ce qu'on m'a dit, mais des plus sensés, non ;
Et l'on m'en a parlé comme d'un ridicule[1].
Le connaissez-vous point ?

ARNOLPHE, *à part*

La fâcheuse pilule !

HORACE

Eh ! vous ne dites mot ?

ARNOLPHE

Eh ! oui, je le connois.

HORACE

C'est un fou, n'est-ce pas ?

ARNOLPHE

Eh !...

HORACE

Qu'en dites-vous ? quoi ?
335 Eh ? c'est-à-dire oui ? Jaloux à faire rire ?
Sot ? je vois qu'il en est ce que l'on m'a pu dire.
Enfin l'aimable Agnès a su m'assujettir[2].
C'est un joli bijou, pour ne vous point mentir,
Et ce serait péché qu'une beauté si rare
340 Fût laissée au pouvoir de cet homme bizarre•.
Pour moi, tous mes efforts, tous mes vœux les plus doux
Vont à m'en rendre maître en dépit du jaloux,

1. *un ridicule* : un homme ridicule.
2. *m'assujettir* : faire de moi son sujet (vocabulaire galant).

Et l'argent que de vous j'emprunte avec franchise
N'est que pour mettre à bout[1] cette juste entreprise.
345 Vous savez mieux que moi, quels que soient nos efforts,
Que l'argent est la clef de tous les grands ressorts,
Et que ce doux métal, qui frappe tant de têtes[2],
En amour, comme en guerre, avance les conquêtes.
Vous me semblez chagrin•; serait-ce qu'en effet
350 Vous désapprouveriez le dessein que j'ai fait?

ARNOLPHE
Non, c'est que je songeais...

HORACE
Cet entretien vous lasse :
Adieu. J'irai chez vous tantôt vous rendre grâce.

ARNOLPHE
Ah! faut-il...

HORACE, *revenant*
Derechef, veuillez être discret,
Et n'allez pas, de grâce, éventer mon secret.
(Il s'en va.)

ARNOLPHE
355 Que je sens dans mon âme...!

HORACE, *revenant*
Et surtout à mon père,
Qui s'en ferait peut-être un sujet de colère.

ARNOLPHE, *croyant qu'il revient encore*
Oh!... Oh! que j'ai souffert durant cet entretien!
Jamais trouble d'esprit ne fut égal au mien.
Avec quelle imprudence et quelle hâte extrême
360 Il m'est venu conter cette affaire à moi-même!
Bien que mon autre nom le tienne dans l'erreur,
Étourdi montra-t-il jamais tant de fureur[3]?
Mais, ayant tant souffert, je devais[4] me contraindre

---

1. *mettre à bout* : mener à bien.
2. *qui frappe tant de têtes* : qui trouble tant de têtes.
3. *fureur* : folie.
4. *je devais* : j'aurais dû.

Jusques à m'éclaircir• de ce que je dois craindre,
365 À pousser jusqu'au bout son caquet[1] indiscret,
Et savoir pleinement leur commerce secret.
Tâchons à le rejoindre : il n'est pas loin, je pense,
Tirons-en de ce fait[2] l'entière confidence.
Je tremble du malheur qui m'en peut arriver,
370 Et l'on cherche souvent plus qu'on ne veut trouver.

Marcel Maréchal (Arnolphe) dans une mise en scène au théâtre de la Criée, en 1988.

1. *caquet* : bavardage.
2. *de ce fait* : de cette affaire.

Questions

Compréhension

1. *Quels sont les liens entre Horace et Arnolphe ? Repérez les faits propres à relancer ultérieurement l'action (v. 267-276).*

2. *Sur quel sujet Arnolphe met-il la conversation ? Quelle tournure d'esprit, déjà révélée par la scène 1, manifeste-t-il ainsi ? Que flatte-t-il chez Horace ? Quel semble être le caractère du jeune homme ?*

3. *Quelle surprise Arnolphe a-t-il ? Pourquoi avale-t-il cette « fâcheuse pilule » (v. 332) sans rien dire ?*

4. *Sous quel aspect M. de la Zousse ou Souche est-il dépeint par Horace ? Sous quel aspect Arnolphe apparaît-il dans son silence embarrassé ? Dans son monologue final ?*

Écriture

5. *Relevez et comparez les termes dans lesquels Arnolphe, dans les vers 291 à 302, et Horace, dans les vers 309 à 327, parlent de l'amour.*

Mise en scène

6. *Les adversaires de Molière (cf. Donneau de Visé, Zélinde) ont reproché à l'action de* L'École des femmes *d'être invraisemblable. Ils ont critiqué, à ce titre, le prêt de cent pistoles qu'Arnolphe fait instantanément à Horace. Quel rôle ce geste joue-t-il dans la structure de la scène ? Analysez l'ensemble des faits qui donnent à celle-ci son relief théâtral et comique et examinez les rapports de l'esthétique théâtrale et de la vie.*

Bilan

L'action

• Les données initiales d'un « conte gaillard »
Arnolphe, riche bourgeois de quarante-deux ans, qui raille depuis toujours le relâchement des mœurs et la complaisance des maris trompés, s'apprête, afin de n'être point « sot », c'est-à-dire cocu, à épouser Agnès, sa pupille, qu'il a élevée délibérément dans l'ignorance, à l'écart du monde, pour prévenir le péril qui l'obsède.
Alors qu'il était à la campagne, Agnès a cependant noué une intrigue avec Horace, un jeune blondin qui vient d'arriver dans la ville.
Arnolphe l'a appris d'Horace lui-même, qui est le fils de l'un de ses amis. Horace ignore qu'Arnolphe se fait appeler désormais M. de la Souche et ne saurait reconnaître en lui le « de la Zousse ou Souche » qui enferme Agnès et passe, dit-on, pour un « ridicule ». Arnolphe, sous l'effet de la surprise et de la honte, n'a su que dire.

• À quoi nous attendre
On devine que se prépare une intrigue comique et que le railleur des « cornards » verra toutes ses précautions déjouées.

Les personnages

• Arnolphe : *un homme à principes, comique par son obsession du cocuage, sa méfiance à l'égard des femmes, son esprit de système et ses visées sur sa jeune pupille ; un jaloux au nom prédestiné (saint Arnolphe, en latin Arnulphius), est le patron des maris complaisants) qui, pour l'honneur de son front, veut se faire appeler M. de la Souche.*

• Chrysalde : *son ami, un raisonneur ironique.*

• Alain *et* **Georgette**, *deux paysans balourds, au service d'Arnolphe pour garder sa pupille.*

• Agnès : *une jeune fille de seize ans, d'une ingénuité extrême (en grec, son nom signifie « pure »).*

• Horace : *un jeune étourdi, prompt à conter ses exploits galants.*

L'écriture

Elle associe les traits satiriques de la comédie de mœurs et de caractères, les conventions de la farce et les artifices de la comédie d'intrigue.

Alain Olivier (Arnolphe) et Irina Dalle (Agnès) dans une mise en scène d'Alain Olivier, en 1990.

ACTE II

SCÈNE PREMIÈRE. ARNOLPHE

Il m'est, lorsque j'y pense, avantageux sans doute•
D'avoir perdu mes pas[1] et pu manquer sa route ;
Car enfin de mon cœur le trouble impérieux
N'eût pu se renfermer tout entier à ses yeux ;
375 Il eût fait éclater l'ennui• qui me dévore,
Et je ne voudrais pas qu'il sût ce qu'il ignore.
Mais je ne suis pas homme à gober le morceau,
Et laisser un champ libre aux vœux du damoiseau• :
J'en veux rompre le cours et, sans tarder, apprendre
380 Jusqu'où l'intelligence• entre eux a pu s'étendre.
J'y prends pour mon honneur un notable intérêt :
Je la regarde en femme, aux termes qu'elle en est[2] ;
Elle n'a pu faillir sans me couvrir de honte,
Et tout ce qu'elle a fait enfin est sur mon compte.
385 Éloignement fatal ! Voyage malheureux !
(Frappant à la porte.)

SCÈNE 2. ALAIN, GEORGETTE, ARNOLPHE

ALAIN
Ah ! Monsieur, cette fois...

ARNOLPHE
Paix. Venez ça tous deux.
Passez là ; passez là. Venez là, venez, dis-je.

GEORGETTE
Ah ! vous me faites peur, et tout mon sang se fige.

ARNOLPHE
C'est donc ainsi qu'absent[3] vous m'avez obéi ?

---

1. *avoir perdu mes pas* : avoir couru pour rien (cf. v. 367).
2. *aux termes qu'elle en est* : au point où elle en est.
3. *absent* : apposition à *m'*, en mon absence.

390 Et tous deux de concert vous m'avez donc trahi?

GEORGETTE

Eh! ne me mangez pas, Monsieur, je vous conjure.

ALAIN, *à part*

Quelque chien enragé l'a mordu, je m'assure[1].

ARNOLPHE

Ouf[2]! Je ne puis parler, tant je suis prévenu[3] :
Je suffoque, et voudrais me pouvoir mettre nu.
395 Vous avez donc souffert, ô canaille maudite,
Qu'un homme soit venu?... Tu veux prendre la fuite!
Il faut que sur-le-champ... Si tu bouges!... Je veux
Que vous me disiez... Euh!... Oui, je veux que tous deux...
Quiconque remuera, par la mort[4]! je l'assomme.
400 Comme• est-ce que chez moi s'est introduit cet homme?
Eh! parlez, dépêchez, vite, promptement, tôt[5],
Sans rêver. Veut-on dire?

ALAIN ET GEORGETTE

Ah! ah!

GEORGETTE

Le cœur me faut[6]!

ALAIN

Je meurs.

ARNOLPHE

Je suis en eau : prenons un peu d'haleine;
Il faut que je m'évente et que je me promène.
405 Aurais-je deviné quand je l'ai vu petit,
Qu'il croîtrait pour cela? Ciel! que mon cœur pâtit[7]!
Je pense qu'il vaut mieux que de sa propre bouche[8]

---

1. *je m'assure* : j'en suis sûr.
2. *ouf!* : oh! (exprime, au XVIIe siècle, la douleur et non le soulagement).
3. *tant je suis prévenu* : tant j'ai d'appréhension.
4. *par la mort* (s.-e. « de Dieu ») : juron qu'on atténuait aussi sous la forme « morbleu ».
5. *tôt* : vite.
6. *le cœur me faut* : le cœur me manque.
7. *pâtit* : souffre.
8. *de sa propre bouche* : Arnolphe parle maintenant d'Agnès.

Je tire avec douceur l'affaire qui me touche.
Tâchons à modérer notre ressentiment.
410 Patience, mon cœur, doucement, doucement.
Levez-vous, et rentrant, faites qu'Agnès descende.
Arrêtez. Sa surprise en deviendrait moins grande :
Du chagrin• qui me trouble ils iraient l'avertir,
Et moi-même je veux l'aller faire sortir.
415 Que l'on m'attende ici.

SCÈNE 3. ALAIN, GEORGETTE

GEORGETTE

Mon Dieu ! qu'il est terrible !
Ses regards m'ont fait peur, mais une peur horrible ;
Et jamais je ne vis un plus hideux chrétien.

ALAIN

Ce Monsieur l'a fâché : je te le disais bien.

GEORGETTE

Mais que diantre[1] est-ce là, qu'avec tant de rudesse
420 Il nous fait au logis garder notre maîtresse ?
D'où vient qu'à tout le monde il veut tant la cacher,
Et qu'il ne saurait voir personne en approcher ?

ALAIN

C'est que cette action le met en jalousie.

GEORGETTE

Mais d'où vient qu'il est pris de cette fantaisie[2] ?

ALAIN

425 Cela vient... cela vient de ce qu'il est jaloux.

GEORGETTE

Oui ; mais pourquoi l'est-il ? et pourquoi ce courroux ?

ALAIN

C'est que la jalousie... entends-tu bien, Georgette,

1. *diantre* : atténuation familière de « diable ».
2. *fantaisie* : lubie.

Est une chose... là... qui fait qu'on s'inquiète...
Et qui chasse les gens d'autour d'une maison.
430 Je m'en vais te bailler une comparaison,
Afin de concevoir[1] la chose davantage.
Dis-moi, n'est-il pas vrai, quand tu tiens ton potage,
Que si quelque affamé venait pour en manger,
Tu serais en colère, et voudrais le charger ?

GEORGETTE
435 Oui, je comprends cela.

ALAIN
C'est justement tout comme :
La femme est en effet le potage de l'homme,
Et quand un homme voit d'autres hommes parfois
Qui veulent dans sa soupe aller tremper leurs doigts,
Il en montre aussitôt une colère extrême.

GEORGETTE
440 Oui ; mais pourquoi chacun n'en fait-il pas de même,
Et que nous en voyons qui paraissent joyeux
Lorsque leurs femmes sont avec les biaux Monsieux[2] ?

ALAIN
C'est que chacun n'a pas cette amitié[3] goulue
Qui n'en veut que pour soi.

GEORGETTE
Si je n'ai la berlue,
445 Je le vois qui revient.

ALAIN
Tes yeux sont bons, c'est lui.

GEORGETTE
Vois comme il est chagrin•.

ALAIN
C'est qu'il a de l'ennui•

1. *afin de concevoir* : pour que tu conçoives.
2. *les biaux Monsieux* : pluriel populaire.
3. *amitié* : amour.

Questions

Compréhension

1. *Dans quel état moral Arnolphe se trouve-t-il? Quelle attitude est-il résolu à conserver vis-à-vis d'Horace (cf. v. 376)? Pourquoi? Quelle est l'importance de ce choix pour l'action?*

2. *Que revient-il faire chez Agnès? Quel sentiment avoue-t-il pour elle?*

3. *De quelle façon traite-t-il Alain et Georgette (sc. 2)? Qu'en obtient-il? Relevez dans le texte le commentaire qu'il fait de son état physique et moral.*

4. *Quel est l'intérêt de la conversation d'Alain et de Georgette pendant que leur maître est dans la maison (sc. 3)?*

Écriture

5. *Distinguez les différents registres par lesquels passe Arnolphe dans son monologue de la scène 1. Quel est l'effet de leur association?*

6. *Étudiez l'explication de la jalousie par Alain. Pourquoi est-elle comique? De quelle sorte de comique s'agit-il?*

Mise en scène

7. *Quels vers font allusion au style dans lequel Molière jouait Arnolphe?*

8. *Examinez ce jugement sur la mise en scène de Molière prêté à un spectateur : « La scène qu'Arnolphe fait avec Alain et Georgette (...) est un jeu de théâtre qui éblouit, puisqu'il n'est pas vraisemblable que deux personnes tombent par symétrie jusqu'à six ou sept fois à genoux, aux deux côtés de leur maître. Je veux que la peur les fasse tomber; mais il est impossible que cela arrive tant de fois, et ce n'est pas une action naturelle. » (Donneau de Visé,* Zélinde, *sc. 3, comédie de 1663).*
Concevez vous-même des indications pour la réalisation de la scène.

SCÈNE 4. ARNOLPHE, AGNÈS, ALAIN, GEORGETTE

ARNOLPHE

Un certain Grec disait à l'empereur Auguste,
Comme une instruction[1] utile autant que juste,
Que lorsqu'une aventure en colère nous met,
450 Nous devons, avant tout, dire notre alphabet,
Afin que dans ce temps la bile• se tempère,
Et qu'on ne fasse rien que l'on ne doive faire.
J'ai suivi sa leçon sur le sujet d'Agnès,
Et je la fais venir en ce lieu tout exprès,
455 Sous prétexte d'y faire un tour de promenade,
Afin que les soupçons de mon esprit malade
Puissent sur le discours[2] la mettre adroitement,
Et lui sondant le cœur, s'éclaircir• doucement.
Venez, Agnès. Rentrez[3].

SCÈNE 5. ARNOLPHE, AGNÈS

ARNOLPHE

La promenade est belle.

AGNÈS

460 Fort belle.

ARNOLPHE

Le beau jour!

AGNÈS

Fort beau.

ARNOLPHE

Quelle nouvelle?

AGNÈS

Le petit chat est mort.

ARNOLPHE

C'est dommage; mais quoi?

---

1. *instruction* : conseil. Cette anecdote vient des *Œuvres morales* du Grec Plutarque (46-120 environ).
2. *discours* : sujet.
3. *rentrez* : ordre adressé à Alain et Georgette.

Nous sommes tous mortels, et chacun est pour soi.
Lorsque j'étais aux champs, n'a-t-il point fait de pluie?

AGNÈS
Non.

ARNOLPHE
Vous ennuyait-il[1]?

AGNÈS
Jamais je ne m'ennuie.

ARNOLPHE
465 Qu'avez-vous fait encor ces neuf ou dix jours-ci?

AGNÈS
Six chemises, je pense, et six coiffes aussi.

ARNOLPHE, *ayant un peu rêvé*
Le monde, chère Agnès, est une étrange chose.
Voyez la médisance, et comme chacun cause :
Quelques voisins m'ont dit qu'un jeune homme inconnu
470 Était en mon absence à la maison venu,
Que vous aviez souffert[2] sa vue et ses harangues[3];
Mais je n'ai point pris foi sur[4] ces méchantes langues,
Et j'ai voulu gager que c'était faussement...

AGNÈS
Mon Dieu, ne gagez[5] pas : vous perdriez vraiment.

ARNOLPHE
475 Quoi? c'est la vérité qu'un homme...?

AGNÈS
Chose sûre.
Il n'a presque bougé de chez nous, je vous jure.

ARNOLPHE, *à part*
Cet aveu qu'elle fait avec sincérité
Me marque pour le moins son ingénuité.

---

1. *vous ennuyait-il?* : tournure impersonnelle.
2. *que vous aviez souffert* : : que vous aviez supporté.
3. *ses harangues* : ses discours (en mauvaise part).
4. *je n'ai point pris foi sur* : je n'ai point accordé de confiance à.
5. *gager* : parier.

(Haut.)
Mais il me semble, Agnès, si ma mémoire est bonne,
480 Que j'avais défendu que vous vissiez personne.

AGNÈS
Oui ; mais, quand je l'ai vu, vous ignorez pourquoi ;
Et vous en auriez fait, sans doute, autant que moi.

ARNOLPHE
Peut-être. Mais enfin contez-moi cette histoire.

AGNÈS
Elle est fort étonnante, et difficile à croire.
485 J'étais sur le balcon à travailler au frais,
Lorsque je vis passer sous les arbres d'auprès
Un jeune homme bien fait, qui rencontrant ma vue,
D'une humble révérence aussitôt me salue :
Moi, pour ne point manquer à la civilité,
490 Je fis la révérence aussi de mon côté.
Soudain il me refait une autre révérence :
Moi, j'en refais de même une autre en diligence[1] ;
Et lui d'une troisième aussitôt repartant[2],
D'une troisième aussi j'y repars à l'instant.
495 Il passe, vient, repasse, et toujours de plus belle
Me fait à chaque fois révérence nouvelle ;
Et moi, qui tous ces tours fixement regardais,
Nouvelle révérence aussi je lui rendais :
Tant que, si sur ce point[3] la nuit ne fût venue,
500 Toujours comme cela je me serais tenue,
Ne voulant point céder, et recevoir l'ennui
Qu'il me pût estimer moins civile• que lui.

ARNOLPHE
Fort bien.

AGNÈS
Le lendemain, étant sur notre porte[4],

---

1. *en diligence* : bien vite.
2. *repartant* : du verbe « repartir », répondre, employé aussi au vers suivant.
3. *sur ce point* : à ce moment.
4. *étant sur notre porte* : apposition à *m'* (v. 504).

Une vieille m'aborde, en parlant de la sorte :
505 « Mon enfant, le bon Dieu puisse-t-il vous bénir,
Et dans tous vos attraits longtemps vous maintenir !
Il ne vous a pas faite une belle personne
Afin de mal user des choses qu'il vous donne ;
Et vous devez savoir que vous avez blessé
510 Un cœur qui de s'en plaindre est aujourd'hui forcé. »

ARNOLPHE, *à part*

Ah ! suppôt[1] de Satan ! exécrable damnée !

AGNÈS

« Moi, j'ai blessé quelqu'un ! fis-je toute étonnée.
— Oui, dit-elle, blessé, mais blessé tout de bon[2] ;
Et c'est l'homme qu'hier vous vîtes du balcon.
515 — Hélas ! qui[3] pourrait, dis-je, en avoir été cause ?
Sur lui, sans y penser, fis-je choir quelque chose ?
— Non, dit-elle, vos yeux ont fait ce coup fatal,
Et c'est de leurs regards qu'est venu tout son mal.
— Hé ! mon Dieu ! ma surprise est, fis-je, sans seconde :
520 Mes yeux ont-ils du mal, pour en donner au monde ?
— Oui, fit-elle, vos yeux, pour causer le trépas,
Ma fille, ont un venin que vous ne savez pas.
En un mot, il languit[4], le pauvre misérable ;
Et s'il faut, poursuivit la vieille charitable,
525 Que votre cruauté lui refuse un secours,
C'est un homme à porter en terre dans deux jours.
— Mon Dieu ! j'en aurais, dis-je, une douleur bien grande.
Mais pour le secourir qu'est-ce qu'il me demande ?
— Mon enfant, me dit-elle, il ne veut obtenir
530 Que le bien de vous voir et vous entretenir :
Vos yeux peuvent eux seuls empêcher sa ruine•
Et du mal qu'ils ont fait être la médecine[5].
— Hélas ! volontiers, dis-je ; et puisqu'il est ainsi,
Il peut, tant qu'il voudra, me venir voir ici. »

---

1. *suppôt* : adepte, serviteur (ou servante).
2. *tout de bon* : pour vrai.
3. *qui* : pronom interrogatif neutre, « qu'est-ce qui... ? »
4. *il languit* : il est malade.
5. *la médecine* : le remède.

ARNOLPHE, *à part*

535 Ah! sorcière maudite, empoisonneuse d'âmes,
Puisse l'enfer payer tes charitables trames[1]!

AGNÈS

Voilà comme* il me vit, et reçut guérison.
Vous-même, à votre avis, n'ai-je pas eu raison?
Et pouvais-je, après tout, avoir la conscience
540 De le laisser mourir[2] faute d'une assistance,
Moi qui compatis tant aux gens qu'on fait souffrir,
Et ne puis, sans pleurer, voir un poulet mourir?

ARNOLPHE, *bas*

Tout cela n'est parti que d'une âme innocente;
Et j'en dois accuser mon absence imprudente,
545 Qui sans guide a laissé cette bonté de mœurs
Exposée aux aguets des rusés séducteurs.
Je crains que le pendard, dans ses vœux téméraires,
Un peu plus fort que jeu n'ait poussé les affaires.

AGNÈS

Qu'avez-vous? Vous grondez, ce me semble, un petit[3]?
550 Est-ce que c'est mal fait ce que je vous ai dit?

ARNOLPHE

Non. Mais de cette vue[4] apprenez-moi les suites,
Et comme le jeune homme a passé ses visites.

AGNÈS

Hélas! si vous saviez comme il était ravi,
Comme il perdit son mal sitôt que je le vis,
555 Le présent qu'il m'a fait d'une belle cassette[5],
Et l'argent qu'en ont eu notre Alain et Georgette,
Vous l'aimeriez sans doute et diriez comme nous...

ARNOLPHE

Oui, mais que faisait-il étant seul avec vous?

---

1. *trames* : intrigues.
2. *avoir la conscience de le laisser mourir* : le laisser consciemment mourir.
3. *vous grondez (...) un petit* : vous bougonnez un peu.
4. *cette vue* : cf. le vers 537 : « Voilà comme il me vit... »
5. *cassette* : coffret.

AGNÈS

Il jurait qu'il m'aimait d'une amour[1] sans seconde,
560 Et me disait des mots les plus gentils du monde,
Des choses que jamais rien ne peut égaler,
Et dont, toutes les fois que je l'entends parler,
La douceur me chatouille et là-dedans remue
Certain je ne sais quoi dont je suis toute émue.

ARNOLPHE, *à part*

565 Ô fâcheux examen d'un mystère fatal,
Où l'examinateur souffre seul tout le mal!
(À Agnès.)
Outre tous ces discours, toutes ces gentillesses,
Ne vous faisait-il point aussi quelques caresses?

AGNÈS

Oh tant! Il me prenait et les mains et les bras,
570 Et de me les baiser il n'était jamais las.

ARNOLPHE

Ne vous a-t-il point pris, Agnès, quelqu'autre chose?
(La voyant interdite.)
Ouf[2]!

AGNÈS

Hé! il m'a...

ARNOLPHE

Quoi?

AGNÈS

Pris...

ARNOLPHE

Euh[3]!

AGNÈS

Le...

ARNOLPHE

Plaît-il?

AGNÈS

Je n'ose,
Et vous vous fâcherez peut-être contre moi.

---

1. *une amour* : au XVIIe siècle, ce nom est indifféremment masculin ou féminin.
2. *ouf!* : oh! (cf. v. 393).
3. *euh!* : hé!(interjection interrogative; cf. v. 398, 923 et 1062).

ARNOLPHE
Non.

AGNÈS
Si fait[1].

ARNOLPHE
Mon Dieu, non!

AGNÈS
Jurez donc votre foi•.

ARNOLPHE
575 Ma foi, soit.

AGNÈS
Il m'a pris... Vous serez en colère.

ARNOLPHE
Non.

AGNÈS
Si.

ARNOLPHE
Non, non, non, non! Diantre, que de mystère!
Qu'est-ce qu'il vous a pris?

AGNÈS
Il...

ARNOLPHE, *à part*
Je souffre en damné.

AGNÈS
Il m'a pris le ruban que vous m'aviez donné.
À vous dire le vrai, je n'ai pu m'en défendre.

ARNOLPHE, *reprenant haleine*
580 Passe pour le ruban. Mais je voulais apprendre
S'il ne vous a rien fait que vous baiser les bras.

AGNÈS
Comment? est-ce qu'on fait d'autres choses?

ARNOLPHE
Non pas.
Mais pour guérir du mal qu'il dit qui le possède,
N'a-t-il point exigé de vous d'autre remède?

1. *si fait* : mais si.

AGNÈS

585 Non. Vous pouvez juger, s'il en eût demandé,
Que pour le secourir j'aurais tout accordé.

ARNOLPHE

Grâce aux bontés du Ciel, j'en suis quitte à bon compte :
Si j'y retombe plus[1], je veux bien qu'on m'affronte[2].
Chut. De votre innocence, Agnès, c'est un effet.
590 Je ne vous en dis mot : ce qui s'est fait est fait.
Je sais qu'en vous flattant le galant ne désire
Que de vous abuser•, et puis après s'en rire.

AGNÈS

Oh! point : il me l'a dit plus de vingt fois à moi.

ARNOLPHE

Ah! vous ne savez pas ce que c'est que sa foi.
595 Mais enfin apprenez qu'accepter des cassettes,
Et de ces beaux blondins écouter les sornettes,
Que se laisser par eux, à force de langueur,
Baiser ainsi les mains et chatouiller le cœur,
Est un péché mortel des plus gros qu'il se fasse.

AGNÈS

600 Un péché, dites-vous? Et la raison, de grâce?

ARNOLPHE

La raison? La raison est l'arrêt prononcé
Que par ces actions le Ciel est courroucé.

AGNÈS

Courroucé! Mais pourquoi faut-il qu'il s'en courrouce?
C'est une chose, hélas! si plaisante et si douce!
605 J'admire quelle joie on goûte à tout cela,
Et je ne savais point encor ces choses-là.

ARNOLPHE

Oui, c'est un grand plaisir que toutes ces tendresses,
Ces propos si gentils et ces douces caresses;
Mais il faut le goûter en toute honnêteté,

---

1. *si j'y retombe plus* : si je m'y fais reprendre.
2. *qu'on m'affronte* : qu'on se joue de moi.

610 Et qu'en se mariant le crime[1] en soit ôté.

AGNÈS

N'est-ce plus un péché lorsque l'on se marie?

ARNOLPHE

Non.

AGNÈS

Mariez-moi donc promptement, je vous prie.

ARNOLPHE

Si vous le souhaitez, je le souhaite aussi,
Et pour vous marier on me revoit ici.

AGNÈS

615 Est-il possible?

ARNOLPHE

Oui.

AGNÈS

Que vous me ferez aise[2]!

ARNOLPHE

Oui, je ne doute point que l'hymen ne vous plaise.

AGNÈS

Vous nous voulez, nous deux...

ARNOLPHE

Rien de plus assuré.

AGNÈS

Que, si cela se fait, je vous caresserai!

ARNOLPHE

Hé! la chose sera de ma part réciproque.

AGNÈS

620 Je ne reconnais point, pour moi, quand on se moque.
Parlez-vous tout de bon?

ARNOLPHE

Oui, vous le pourrez voir.

AGNÈS

Nous serons mariés?

ARNOLPHE

Oui.

1. *crime* : au sens large de manquement grave à la morale.
2. *aise* : contente.

AGNÈS

Mais quand?

ARNOLPHE

Dès ce soir.

AGNÈS, *riant*

Dès ce soir?

ARNOLPHE

Dès ce soir. Cela vous fait donc rire?

AGNÈS

Oui.

ARNOLPHE

Vous voir bien contente est ce que je désire.

AGNÈS

625 Hélas! que je vous ai grande obligation,
Et qu'avec lui j'aurai de satisfaction!

ARNOLPHE

Avec qui?

AGNÈS

Avec..., là...

ARNOLPHE

Là... : là n'est pas mon compte.
À choisir un mari vous êtes un peu prompte.
C'est un autre en un mot, que je vous tiens tout prêt,
630 Et quant au Monsieur, là[1], je prétends, s'il vous plaît,
Dût le mettre au tombeau le mal dont il vous berce,
Qu'avec lui désormais vous rompiez tout commerce;
Que, venant au logis[2], pour votre compliment[3]
Vous lui fermiez au nez la porte honnêtement;
635 Et lui jetant, s'il heurte[4], un grès[5] par la fenêtre,
L'obligiez tout de bon à ne plus y paraître.

---

1. *là* : détaché de « Monsieur » par une virgule, « là » prend le sens de « ça suffit » ; au théâtre, l'usage est de lier « Et quant au Monsieur là », en faisant de « là » le substitut ironique d'un nom.
2. *venant au logis* : se rapporte à « lui » (v. 634).
3. *pour votre compliment* : en guise de compliment.
4. *s'il heurte* : s'il frappe à la porte
5. *un grès* : un pavé, une pierre.

M'entendez-vous, Agnès? Moi, caché dans un coin,
De votre procédé• je serai le témoin.

AGNÈS

Las! il est si bien fait! C'est...

ARNOLPHE

Ah! que de langage[1]!

AGNÈS

640 Je n'aurai pas le cœur...

ARNOLPHE

Point de bruit davantage.

Montez là-haut.

AGNÈS

Mais quoi? voulez-vous...?

ARNOLPHE

C'est assez.

Je suis maître, je parle : allez, obéissez.[2]

1. *que de langage* : que de discours!
2. *vers 641-642* : cette réplique d'Arnolphe est empruntée à une tragédie de Corneille, *Sertorius* (1662); Pompée s'adresse ainsi à Perpenna au moment où il l'envoie à la mort (v. 1767-1768).

Questions

Compréhension

1. *De quelle humeur Arnolphe est-il quand il reparaît (sc. 4)? Comment s'est-il apaisé? À qui adresse-t-il ses explications? Quel en est le but théâtral?*

2. *Repérez les étapes de l'interrogatoire d'Agnès (v. 459-489). Qu'est-ce qui en fait le comique?*

3. *À quel avertissement de Chrysalde la conduite d'Agnès fait-elle songer (cf. I, 1)? Quelle lacune a subsisté dans son éducation morale et religieuse (v. 589-611)? Qu'est-ce qu'un « péché mortel » (v. 598)? Quelle objection Agnès fait-elle à l'idée que l'amour soit un péché (v. 603-606)? Quel est l'effet scénique de son étonnement?*

4. *Quel quiproquo se produit à partir du vers 612? Jusqu'à quel moment se prolonge-t-il? Comment expliquer qu'Arnolphe, afin de le dissiper complètement, n'annonce pas à Agnès son projet de l'épouser?*

5. *Que penser des ordres qu'il donne à Agnès (v. 630-642)? Sa dernière réplique est empruntée à un héros de Corneille (v. 641-642) : quel en est l'effet?*

Écriture

6. *Étudiez*
— la méprise d'Agnès sur les paroles de l'entremetteuse et son développement lexical;
— l'évocation de la naissance de l'amour par Agnès (v. 559-564) : vocabulaire, syntaxe et rythme;
— l'équivoque qui naît au vers 572 (« Et il m'a... Pris... Le... »).

Mise en scène

7. *Analysez la conduite de cette scène dans une interprétation dont vous disposez. Que désireriez-vous y mettre en relief? Rédigez à cette intention des consignes pour les acteurs.*

Bilan

L'action

• Les surprises de l'ingénuité

Bouleversé par les révélations d'Horace, Arnolphe enquête chez lui. Il ne tire rien de ses domestiques qui sont terrorisés par sa colère mais, derrière son dos, le jugent avec une naïveté fort clairvoyante. S'étant maîtrisé, il obtient sans difficulté d'Agnès le récit des succès d'Horace auprès d'elle. Pour reprendre autorité sur sa pupille, il l'instruit du péché qu'elle a commis, ce qui l'amène à parler du mariage : Agnès, ravie, croit qu'elle va épouser Horace. Nouvelle colère d'Arnolphe qui, sans dire à Agnès qu'il veut lui-même l'épouser, lui ordonne de fermer sa porte à Horace et, au besoin, de lui jeter un pavé.

• À quoi nous attendre

Qu'adviendra-t-il de la lutte ainsi ouverte entre l'autorité d'Arnolphe et la nature ingénue d'Agnès qui a découvert l'amour ?

Les personnages

• **Arnolphe** *fait rire par l'échec de ses calculs, son agitation jalouse, ses colères et sa dissimulation.*

• **Agnès** *amuse par son ingénuité qui l'expose sans défense aux galants et la rend redoutable pour Arnolphe à qui elle commence à résister.*

• **Alain** et **Georgette** *font la preuve qu'on peut être simple et plein de bon sens.*

• **Horace**, *absent de la scène, bénéficie de la sympathie amusée qu'inspirent les séducteurs heureux.*

L'écriture

Une habile organisation dramatique et des recettes comiques éprouvées : drôlerie des conduites extrêmes (colère, naïveté), changements de registre, gestuelle de la farce, méprises verbales, équivoques et quiproquos.

ACTE III

SCÈNE PREMIÈRE. Arnolphe, Agnès, Alain, Georgette

Arnolphe

Oui, tout a bien été, ma joie est sans pareille :
Vous avez là suivi mes ordres à merveille,
645 Confondu de tout point le blondin séducteur,
Et voilà de quoi sert un sage directeur[1].
Votre innocence, Agnès, avait été surprise.
Voyez sans y penser où vous vous étiez mise :
Vous enfiliez tout droit, sans mon instruction•,
650 Le grand chemin d'enfer et de perdition.
De tous ces damoiseaux• on sait trop les coutumes :
Ils ont de beaux canons[2], force rubans et plumes,
Grands cheveux, belles dents, et des propos fort doux ;
Mais, comme je vous dis, la griffe est là-dessous ;
655 Et ce sont vrais Satans, dont la gueule altérée
De l'honneur féminin cherche à faire curée.
Mais, encore une fois, grâce au soin apporté,
Vous en êtes sortie avec honnêteté.
L'air dont je vous ai vu lui jeter cette pierre,
660 Qui de tous ses desseins a mis l'espoir par terre,
Me confirme encor mieux à ne point différer
Les noces où[3] je dis qu'il vous faut préparer.
Mais, avant toute chose, il est bon de vous faire
Quelque petit discours qui vous soit salutaire.
665 Un siège au frais ici.
Vous, si jamais en rien...

Georgette

De toutes vos leçons nous nous souviendrons bien.

---

1. *directeur* : directeur de conscience.
2. *canons* : ornements de toile ou de dentelle attachés au haut de chausses, au-dessous du genou.
3. *où* : auxquelles.

Cet autre Monsieur-là nous en faisait accroire;
Mais...

ALAIN

S'il entre jamais, je veux jamais ne boire.
Aussi bien est-ce un sot : il nous a l'autre fois
670 Donné deux écus d'or qui n'étaient pas de poids[1].

ARNOLPHE

Ayez donc pour souper tout ce que je désire;
Et pour notre contrat, comme je viens de dire,
Faites venir ici, l'un ou l'autre, au retour,
Le notaire qui loge au coin de ce carfour[2].

675 SCÈNE 2. ARNOLPHE, AGNÈS

ARNOLPHE, *assis.*

675 Agnès, pour m'écouter, laissez là votre ouvrage.
Levez un peu la tête et tournez le visage :
Là, regardez-moi là durant cet entretien.
Et jusqu'au moindre mot imprimez-le-vous bien.
Je vous épouse, Agnès; et cent fois la journée
680 Vous devez bénir l'heur• de votre destinée,
Contempler la bassesse[3] où vous avez été,
Et dans le même temps admirer ma bonté,
Qui de ce vil état de pauvre villageoise
Vous fait monter au rang d'honorable bourgeoise
685 Et jouir de la couche et des embrassements
D'un homme qui fuyait tous ces engagements
Et dont à vingt partis, fort capables de plaire,
Le cœur a refusé l'honneur qu'il vous veut faire.
Vous devez toujours, dis-je, avoir devant les yeux

1. *qui n'étaient pas de poids* : qui n'avaient pas le poids légal (ils ont été rognés et ont perdu de leur valeur).
2. *carfour* : carrefour.
3. *la bassesse* : la basse condition.

690 Le peu que vous étiez sans ce nœud glorieux,
Afin que cet objet[1] d'autant mieux vous instruise
À mériter l'état où je vous aurai mise,
À toujours vous connaître, et faire qu'à jamais
Je puisse me louer de l'acte que je fais.
695 Le mariage, Agnès, n'est pas un badinage :
À d'austères devoirs le rang de femme engage,
Et vous n'y montez pas, à ce que je prétends,
Pour être libertine[2] et prendre du bon temps.
Votre sexe n'est là que pour la dépendance :
700 Du côté de la barbe est la toute-puissance.
Bien qu'on soit deux moitiés de la société[3],
Ces deux moitiés pourtant n'ont point d'égalité :
L'une est moitié suprême et l'autre subalterne ;
L'une en tout est soumise à l'autre qui gouverne ;
705 Et ce que le soldat, dans son devoir instruit,
Montre d'obéissance au chef qui le conduit,
Le valet à son maître, un enfant à son père,
À son supérieur[4] le moindre petit Frère[5],
N'approche point encor de la docilité,
710 Et de l'obéissance, et de l'humilité,
Et du profond respect, où la femme doit être
Pour son mari, son chef, son seigneur et son maître.
Lorsqu'il jette sur elle un regard sérieux,
Son devoir aussitôt est de baisser les yeux,
715 Et de n'oser jamais le regarder en face
Que quand d'un doux regard il lui veut faire grâce[6].
C'est ce qu'entendent• mal les femmes d'aujourd'hui ;
Mais ne vous gâtez pas sur l'exemple d'autrui.
Gardez-vous d'imiter ces coquettes vilaines
720 Dont par toute la ville on chante les fredaines,
Et de vous laisser prendre aux assauts du malin[7],

1. *cet objet* : cette idée.
2. *libertine* : indisciplinée.
3. *société* : association.
4. *supérieur* : religieux dirigeant un monastère.
5. *petit Frère* : religieux de rang subalterne, chargé des besognes matérielles.
6. *faire grâce* : faire la grâce.
7. *le malin* : le diable.

C'est-à-dire d'ouïr aucun jeune blondin.
Songez qu'en vous faisant moitié de ma personne,
C'est mon honneur, Agnès, que je vous abandonne;
725 Que cet honneur est tendre et se blesse de peu;
Que sur un tel sujet il ne faut point de jeu;
Et qu'il est aux enfers des chaudières bouillantes
Où l'on plonge à jamais les femmes mal vivantes.
Ce que je vous dis là ne sont pas des chansons;
730 Et vous devez du cœur dévorer ces leçons.
Si votre âme les suit, et fuit d'être coquette,
Elle sera toujours, comme un lis, blanche et nette;
Mais, s'il faut qu'à l'honneur elle fasse un faux bond,
Elle deviendra lors noire comme un charbon;
735 Vous paraîtrez à tous un objet effroyable,
Et vous irez un jour, vrai partage du diable[1],
Bouillir dans les enfers à toute éternité :
Dont vous veuille garder la céleste bonté!
Faites la révérence. Ainsi qu'une novice
740 Par cœur dans le couvent doit savoir son office[2],
Entrant au mariage, il en faut faire autant;
Et voici dans ma poche un écrit important
(Il se lève.)
Qui vous enseignera l'office de la femme.
J'en ignore l'auteur, mais c'est quelque bonne âme;
745 Et je veux que ce soit votre unique entretien[3].
Tenez. Voyons un peu si vous le lirez bien.

AGNÈS *lit*

LES MAXIMES DU MARIAGE[4]

OU LES DEVOIRS DE LA FEMME MARIÉE,

Avec son exercice journalier[5].

---

1. *partage du diable* : part revenant au diable.
2. *son office* : son devoir, ses obligations.
3. *votre unique entretien* : l'unique occupation de votre esprit.
4. *les Maximes du Mariage* : titre imité de ceux des ouvrages de direction morale du temps; le poète Desmarets de Saint-Sorlin avait traduit en vers les *Préceptes de mariage de saint Grégoire de Naziance, envoyés à Olympias le jour de ses noces.*
5. *avec son exercice journalier* : s.-e. « de méditation spirituelle » (cette expression elliptique est usuelle dans le langage de la dévotion).

Ire MAXIME

Celle qu'un lien honnête
Fait entrer au lit d'autrui,
Doit se mettre dans la tête,
750 Malgré le train d'aujourd'hui,
Que l'homme qui la prend ne la prend que pour lui.

ARNOLPHE

Je vous expliquerai ce que cela veut dire;
Mais, pour l'heure présente, il ne faut rien que lire.

AGNÈS *poursuit*

IIe MAXIME

Elle ne se doit parer
755 Qu'autant que peut désirer
Le mari qui la possède :
C'est lui que touche seul le soin de sa beauté;
Et pour rien doit être compté
Que les autres la trouvent laide.

IIIe MAXIME

760 Loin ces études d'œillades,
Ces eaux, ces blancs, ces pommades,
Et mille ingrédients qui font des teints fleuris :
À l'honneur tous les jours ce sont drogues mortelles;
Et les soins de paraître belles
765 Se prennent peu pour les maris.

IVe MAXIME

Sous sa coiffe, en sortant, comme l'honneur l'ordonne,
Il faut que de ses yeux elle étouffe les coups;
Car pour bien plaire à son époux,
Elle ne doit plaire à personne.

Ve MAXIME

770 Hors ceux dont au mari la visite se rend,
La bonne règle défend
De recevoir aucune âme :
Ceux qui, de galante humeur,
N'ont affaire qu'à Madame,
775 N'accommodent pas Monsieur[1].

---

1. *n'accommodent pas Monsieur* : ne plaisent pas à Monsieur.

VIe MAXIME

Il faut des présents des hommes
Qu'elle se défende bien ;
Car dans le siècle où nous sommes,
On ne donne rien pour rien.

VIIe MAXIME.

780 Dans ses meubles, dût-elle en avoir de l'ennui,
Il ne faut écritoire, encre, papier, ni plumes :
Le mari doit, dans les bonnes coutumes,
Écrire tout ce qui s'écrit chez lui.

VIIIe MAXIME.

Ces sociétés déréglées,
Qu'on nomme belles assemblées,
785 Des femmes tous les jours corrompent les esprits :
En bonne politique, on les doit interdire ;
Car c'est là que l'on conspire
Contre les pauvres maris.

IXe MAXIME.

790 Toute femme qui veut à l'honneur se vouer
Doit se défendre de jouer,
Comme d'une chose funeste :
Car le jeu, fort décevant,
Pousse une femme souvent
795 À jouer de tout son reste[1].

Xe MAXIME.

Des promenades du temps[2],
Ou repas qu'on donne aux champs,
Il ne faut pas qu'elle essaye[3] :
Selon les prudents cerveaux,
800 Le mari, dans ces cadeaux[4],
Est toujours celui qui paye.

---

1. *jouer de son reste* : hasarder tout (Furetière).
2. *du temps* : d'aujourd'hui.
3. *qu'elle essaye* : qu'elle goûte.
4. *cadeaux* : repas, parties de campagne (cf. v. 797).

XIe MAXIME...

ARNOLPHE

Vous achèverez seule ; et, pas à pas, tantôt
Je vous expliquerai ces choses comme il faut.
Je me suis souvenu d'une petite affaire :
805 Je n'ai qu'un mot à dire, et ne tarderai guère.
Rentrez, et conservez ce livre chèrement.
Si le notaire vient, qu'il m'attende un moment.

Isabelle Adjani (Agnès) et Pierre Dux (Arnolphe) dans une mise en scène de Jean-Paul Roussillon, à la Comédie Française, en 1973.

Questions

Compréhension

1. *À quoi tient la joie d'Arnolphe (v. 643)?*

2. *Il se présente comme « un sage directeur » (v. 646) : qu'est-ce qu'un « directeur » en 1662? Cherchez en quoi Arnolphe parle à Agnès en « directeur » : sous quel aspect fait-il apparaître Horace (v. 651-656)? Quelle est la conduite d'Agnès à l'égard du jeune homme (v. 649-650)?*

3. *Comment s'installe-t-il et place-t-il Agnès pour lui parler? Quel aspect de son caractère manifeste-t-il ainsi?*

4. *Distinguez les étapes du « petit discours » d'Arnolphe et le thème de chaque partie (v. 665-746).*

5. *Que traduit son « Je vous épouse, Agnès » (v. 679)? Par quels arguments veut-il rendre cette décision attrayante pour elle (v. 679-694)?*

6. *Analysez la conception du mariage qu'il développe (v. 695-716).*
De quelles comparaisons use-t-il? Quel en est l'effet?

7. *Quelle est l'inquiétude qu'il laisse apparaître? Quelle menace brandit-il? (v. 717-738)? D'où viennent les images qu'il utilise? Sur quel sentiment d'Agnès veut-il jouer?*

8. *Quelle est la signification de la révérence demandée à Agnès (v. 739)?*
Qu'induit la comparaison entre la novice entrant au couvent et l'épouse entrant dans le mariage (v. 739-745)? Vers qui « l'exercice journalier » de l'épouse est-il dirigé d'après les maximes qui suivent?
En quoi y a-t-il ici parodie burlesque?

9. *Quelle impression le « sermon » d'Arnolphe produit-il? Quelle est la portée satirique de cet épisode? Pourquoi a-t-il choqué à la création de la pièce?*

Ecriture

10. *Étudiez le style prêté à Arnolphe*
— dans les vers 695 à 716 (syntaxe, rythme, images, maximes);
— dans les vers 723 à 738 (même recherche).

11. *Qu'est-ce qui crée l'impression de parodie de la part de Molière?*

Mise en scène

12. *Molière a puisé l'idée de cet épisode dans* La Précaution inutile *de Scarron (cf. Sources littéraires de* L'École des femmes, *p. 136).*
Étudiez l'usage qu'il a fait du récit du conteur :
« Il se mit dans une chaise, fit tenir sa femme debout, et lui dit ces paroles ou d'autres encore plus impertinentes :
"Vous êtes ma femme, dont j'espère que j'aurai sujet de louer Dieu, tant que nous vivrons ensemble. Mettez-vous bien dans l'esprit ce que je vais vous dire, et l'observez exactement tant que vous vivrez, et de peur d'offenser Dieu et de peur de me déplaire."
À toutes ces paroles dorées, l'innocente Laure faisait de grandes révérences à propos ou non, et regardait son mari entre deux yeux, aussi timidement qu'un écolier nouveau fait un pédant impérieux.
"Savez-vous, continua Dom Pedre, la vie que doivent mener les personnes mariées?
— Je ne la sais pas, lui répondit Laure, faisant une révérence plus basse que toutes les autres; mais apprenez-la-moi, et je la retiendrai comme ave Maria.*" »*

SCÈNE 3. ARNOLPHE

Je ne puis faire mieux que d'en faire ma femme.
Ainsi que je voudrai, je tournerai[1] cette âme ;
810 Comme un morceau de cire entre mes mains elle est,
Et je lui puis donner la forme qui me plaît.
Il s'en est peu fallu que, durant mon absence,
On ne m'ait attrapé par son trop d'innocence ;
Mais il vaut beaucoup mieux, à dire vérité,
815 Que la femme qu'on a pèche de ce côté.
De ces sortes d'erreurs le remède est facile :
Toute personne simple aux leçons est docile ;
Et si du bon chemin on l'a fait écarter,
Deux mots incontinent l'y peuvent rejeter.
820 Mais une femme habile• est bien une autre bête :
Notre sort ne dépend que de sa seule tête ;
De ce qu'elle s'y met rien ne la fait gauchir[2],
Et nos enseignements ne font là que blanchir[3] ;
Son bel esprit lui sert à railler nos maximes,
825 À se faire souvent des vertus de ses crimes•,
Et trouver, pour venir à ses coupables fins,
Des détours à duper l'adresse des plus fins.
Pour se parer du coup[4] en vain on se fatigue :
Une femme d'esprit est un diable en intrigue ;
830 Et dès que son caprice a prononcé tout bas
L'arrêt[5] de notre honneur, il faut passer le pas :
Beaucoup d'honnêtes gens en pourraient bien que dire[6].
Enfin, mon étourdi n'aura pas lieu d'en rire.
Par son trop de caquet il a ce qu'il lui faut.
835 Voilà de nos Français l'ordinaire défaut :
Dans la possession d'une bonne fortune,
Le secret est toujours ce qui les importune ;

---

1. *je tournerai* : je façonnerai (comme au tour).
2. *gauchir* : dévier.
3. *blanchir* : « Blanchir se dit des coups de canon qui ne font qu'effleurer une muraille et y laisser une marque blanche » (Furetière). Ici au figuré, échouer.
4. *se parer du coup* : se protéger du coup.
5. *l'arrêt* : la condamnation.
6. *en pourraient bien que dire* : sauraient bien quoi en dire, pourraient en parler savamment.

Et la vanité sotte a pour eux tant d'appas,
Qu'ils se pendraient plutôt que de ne causer pas.
840 Oh! que les femmes sont du diable[1] bien tentées,
Lorsqu'elles vont choisir ces têtes éventées[2],
Et que...! Mais le voici... Cachons-nous toujours bien
Et découvrons un peu quel chagrin• est le sien.

1. *du diable* : par le diable.
2. *éventées* : légères.

Questions

Compréhension

1. *Qu'éprouve Arnolphe après son sermon à Agnès? Qu'apprécie-t-il en elle? Pourquoi ne voudrait-il pas d'une femme « habile » ?*

2. *Quels traits du caractère d'Arnolphe sont ici confirmés?*

3. *Que penser de ses réflexions sur Horace?*

Ecriture

4. *Quel registre d'expression est prêté à Arnolphe? Quels faits de style traduisent son caractère?*

Mise en scène

5. *Quel est le rôle théâtral de ce monologue? Quels vers sont des apostrophes à la salle?*

SCÈNE 4. HORACE, ARNOLPHE

HORACE

Je reviens de chez vous, et le destin me montre
845 Qu'il n'a pas résolu que je vous y rencontre.
Mais j'irai tant de fois, qu'enfin quelque moment...

ARNOLPHE

Hé! mon Dieu, n'entrons point dans ce vain compliment :
Rien ne me fâche tant que ces cérémonies;
Et si l'on m'en croyait, elles seraient bannies.
850 C'est un maudit usage; et la plupart des gens
Y perdent sottement les deux tiers de leur temps.
Mettons[1] donc sans façons. Hé bien! vos amourettes?
Puis-je, Seigneur Horace, apprendre où vous en êtes?
J'étais tantôt distrait par quelque vision[2];
855 Mais depuis là-dessus j'ai fait réflexion :
De vos premiers progrès j'admire la vitesse,
Et dans l'événement mon âme s'intéresse.

HORACE

Ma foi, depuis qu'à vous s'est découvert mon cœur,
Il est à mon amour arrivé du malheur.

ARNOLPHE

860 Oh! oh! comment cela?

HORACE

La fortune cruelle
A ramené des champs le patron de la belle.

ARNOLPHE

Quel malheur!

HORACE

Et de plus, à mon très grand regret,
Il a su de nous deux le commerce[3] secret.

ARNOLPHE

D'où, diantre, a-t-il sitôt appris cette aventure?

---

1. *mettons* : s.-e. « nos chapeaux »; couvrons-nous.
2. *vision* : idée.
3. *commerce* : relations.

HORACE

865 Je ne sais ; mais enfin c'est une chose sûre.
Je pensais aller rendre, à mon heure à peu près,
Ma petite visite à ses jeunes attraits,
Lorsque, changeant pour moi de ton et de visage,
Et servante et valet m'ont bouché le passage,
870 Et d'un *Retirez-vous, vous nous importunez*,
M'ont assez rudement fermé la porte au nez.

ARNOLPHE

La porte au nez !

HORACE

Au nez.

ARNOLPHE

La chose est un peu forte.

HORACE

J'ai voulu leur parler au travers de la porte ;
Mais à tous mes propos ce qu'ils m'ont répondu,
875 C'est : *Vous n'entrerez point, Monsieur l'a défendu.*

ARNOLPHE

Ils n'ont donc point ouvert ?

HORACE

Non. Et de la fenêtre
Agnès m'a confirmé le retour de ce maître,
En me chassant de là d'un ton plein de fierté,
Accompagné d'un grès que sa main a jeté.

ARNOLPHE

880 Comment d'un grès ?

HORACE

D'un grès de taille non petite,
Dont on a par ses mains régalé[1] ma visite.

ARNOLPHE

Diantre ! ce ne sont pas des prunes que cela !
Et je trouve fâcheux l'état où vous voilà.

---

1. *régalé* : fêté.

HORACE
Il est vrai, je suis mal par ce retour funeste.

ARNOLPHE
885 Certes, j'en suis fâché pour vous, je vous proteste[1].

HORACE
Cet homme me rompt tout.

ARNOLPHE
Oui. Mais cela n'est rien;
Et de vous raccrocher vous trouverez moyen.

HORACE
Il faut bien essayer, par quelque intelligence•,
De vaincre du jaloux l'exacte vigilance.

ARNOLPHE
890 Cela vous est facile. Et la fille, après tout,
Vous aime.

HORACE
Assurément.

ARNOLPHE
Vous en viendrez à bout.

HORACE
Je l'espère.

ARNOLPHE
Le grès vous a mis en déroute;
Mais cela ne doit pas vous étonner[2].

HORACE
Sans doute•,
Et j'ai compris d'abord• que mon homme était là,
895 Qui, sans se faire voir, conduisait tout cela.
Mais ce qui m'a surpris, et qui va vous surprendre,
C'est un autre incident que vous allez entendre;
Un trait hardi qu'a fait cette jeune beauté,
Et qu'on n'attendrait point de sa simplicité.

---

1. *je vous proteste* : je vous assure.
2. *étonner* : déconcerter.

900 Il le faut avouer, l'amour est un grand maître :
Ce qu'on ne fut jamais il nous enseigne à l'être ;
Et souvent de nos mœurs l'absolu changement
Devient, par ses leçons, l'ouvrage d'un moment ;
De la nature, en nous, il force les obstacles,
905 Et ses effets soudains ont de l'air des miracles ;
D'un avare à l'instant il fait un libéral,
Un vaillant d'un poltron, un civil• d'un brutal• ;
Il rend agile à tout l'âme la plus pesante,
Et donne de l'esprit à la plus innocente.
910 Oui, ce dernier miracle éclate dans Agnès ;
Car, tranchant avec moi par ces termes exprès :
Retirez-vous : mon âme aux visites renonce ;
Je sais tous vos discours, et voilà ma réponse,
Cette pierre, ou ce grès, dont vous vous étonniez
915 Avec un mot de lettre est tombée à mes pieds ;
Et j'admire de voir cette lettre ajustée
Avec le sens des mots et la pierre jetée.
D'une telle action n'êtes-vous pas surpris ?
L'amour sait-il pas l'art d'aiguiser les esprits ?
920 Et peut-on me nier que ses flammes puissantes
Ne fassent dans un cœur des choses étonnantes ?
Que dites-vous du tour et de ce mot d'écrit ?
Euh[1] ! n'admirez-vous point cette adresse d'esprit ?
Trouvez-vous pas plaisant de voir quel personnage
925 A joué mon jaloux dans tout ce badinage ?
Dites.

ARNOLPHE

Oui, fort plaisant.

HORACE

Riez-en donc un peu.
(Arnolphe rit d'un ris forcé.)
Cet homme, gendarmé d'abord• contre mon feu•,
Qui chez lui se retranche, et de grès fait parade[2],
Comme si j'y voulais entrer par escalade ;

---

1. *euh!* : hé! (cf. v. 572).
2. *de grès fait parade* : se protège à coups de grès.

930 Qui, pour me repousser, dans son bizarre effroi,
Anime du dedans tous ses gens contre moi,
Et qu'abuse• à ses yeux, par sa machine même[1],
Celle qu'il veut tenir dans l'ignorance extrême!
Pour moi, je vous l'avoue, encor que son retour
935 En un grand embarras jette ici mon amour,
Je tiens cela plaisant autant qu'on saurait dire,
Je ne puis y songer sans de bon cœur en rire :
Et vous n'en riez pas assez, à mon avis.

ARNOLPHE, *avec un ris forcé*
Pardonnez-moi, j'en ris tout autant que je puis.

HORACE
940 Mais il faut qu'en ami je vous montre la lettre.
Tout ce que son cœur sent, sa main a su l'y mettre,
Mais en termes touchants et tous pleins de bonté,
De tendresse innocente et d'ingénuité,
De la manière enfin que la pure nature
945 Exprime de l'amour la première blessure.

ARNOLPHE, *bas*
Voilà, friponne, à quoi l'écriture te sert;
Et contre mon dessein l'art t'en fut découvert.

HORACE *lit*
Je veux vous écrire, et je suis bien en peine par où je m'y prendrai. J'ai des pensées que je désirerais que vous sussiez; mais je ne sais comment faire pour vous les dire, et je me défie de mes paroles. Comme je commence à connaître• qu'on m'a toujours tenue dans l'ignorance, j'ai peur de mettre quelque chose qui ne soit pas bien, et d'en dire plus que je ne devrais. En vérité, je ne sais ce que vous m'avez fait, mais je sens que je suis fâchée à mourir de ce qu'on me fait faire contre vous, que j'aurai toutes les peines du monde à me passer de vous, et que je serais bien aise d'être à vous. Peut-être qu'il y a du mal à dire cela; mais enfin je ne puis m'empêcher de le dire, et je voudrais que cela se pût faire sans qu'il y en eût. On me dit fort que tous les jeunes

1. *par sa machine même* : au moyen de son invention elle-même.

hommes sont des trompeurs, qu'il ne les faut point écouter, et que tout ce que vous me dites n'est que pour m'abuser•; mais je vous assure que je n'ai pu encore me figurer cela de vous, et je suis si touchée de vos paroles, que je ne saurais croire qu'elles soient menteuses. Dites-moi franchement ce qui en est; car enfin, comme je suis sans malice[1], vous auriez le plus grand tort du monde, si vous me trompiez; et je pense que j'en mourrais de déplaisir•.

ARNOLPHE, *à part*

Hon! chienne!

HORACE

Qu'avez-vous?

ARNOLPHE

Moi? rien. C'est que je tousse.

HORACE

Avez-vous jamais vu d'expression plus douce?
950 Malgré les soins maudits d'un injuste pouvoir,
Un plus beau naturel peut-il se faire voir?
Et n'est-ce pas sans doute un crime• punissable
De gâter méchamment ce fonds d'âme admirable,
D'avoir dans l'ignorance et la stupidité
955 Voulu de cet esprit étouffer la clarté?
L'amour a commencé d'en déchirer le voile;
Et si par la faveur de quelque bonne étoile,
Je puis, comme j'espère, à ce franc animal[2],
Ce traître, ce bourreau, ce faquin[3], ce brutal•...

ARNOLPHE

960 Adieu.

HORACE

Comment, si vite?

ARNOLPHE

Il m'est dans la pensée

1. *sans malice* : sans détour, simple.
2. *ce franc animal* : cette vraie brute.
3. *ce faquin* : cette canaille.

Venu tout maintenant une affaire pressée.

HORACE

Mais ne sauriez-vous point, comme on la tient de près,
Qui dans cette maison pourrait avoir accès?
J'en use sans scrupule; et ce n'est pas merveille
965 Qu'on se puisse, entre amis, servir à la pareille.
Je n'ai plus là dedans que gens pour m'observer;
Et servante et valet, que je viens de trouver,
N'ont jamais, de quelque air que je m'y sois pu prendre,
Adouci leur rudesse à[1] me vouloir entendre.
970 J'avais pour de tels coups certaine vieille en main,
D'un génie[2], à vrai dire, au-dessus de l'humain :
Elle m'a dans l'abord[3] servi de bonne sorte;
Mais depuis quatre jours la pauvre femme est morte.
Ne me pourriez-vous point ouvrir quelque moyen?

ARNOLPHE

975 Non, vraiment; et sans moi vous en trouverez bien.

HORACE

Adieu donc. Vous voyez ce que je vous confie.

---

1. *à* : jusqu'à.
2. *génie* : talent.
3. *dans l'abord* : au début.

Questions

Compréhension

1. *Pourquoi Arnolphe interroge-t-il Horace avec empressement? Quel plaisir goûte-t-il? Quel sentiment feint-il (v. 844-893)?*

2. *Quelle surprise lui est réservée? Que donnent à imaginer les vers 922-926 et 937-939?*

3. *Comment Horace s'explique-t-il le « trait hardi » d'Agnès (v. 900-921)? Rapprochez ces vers du titre de la comédie. Ce thème est-il nouveau?*

4. *Quelles qualités Horace admire-t-il dans la lettre d'Agnès (v. 940-945 et 949-956)? Montrez comment cette lettre exprime à la fois l'ingénuité d'Agnès et son éveil à la conscience critique?*

5. *Sur quel effet comique la scène se termine-t-elle (v. 957-976)?*

Écriture

6. *Étudiez la lettre d'Agnès : syntaxe du texte, rythme et progression de la pensée, vocabulaire.*

Mise en scène

7. *Sur quelle sorte de comique la scène est-elle bâtie? Repérez-en les mouvements successifs.*

SCÈNE 5. Arnolphe

Comme il faut devant lui que je me mortifie[1] !
Quelle peine à cacher mon déplaisir• cuisant !
Quoi ? pour une innocente un esprit si présent[2] !
980 Elle a feint d'être telle à mes yeux, la traîtresse,
Ou le diable à son âme a soufflé cette adresse.
Enfin me voilà mort par ce funeste écrit.
Je vois qu'il a, le traître, empaumé son esprit[3],
Qu'à ma suppression[4] il s'est ancré chez elle ;
985 Et c'est mon désespoir et ma peine mortelle.
Je souffre doublement dans le vol de son cœur,
Et l'amour y pâtit aussi bien que l'honneur.
J'enrage de trouver cette place usurpée,
Et j'enrage de voir ma prudence trompée.
990 Je sais que, pour punir son amour libertin,
Je n'ai qu'à laisser faire à son mauvais destin,
Que je serai vengé d'elle par elle-même ;
Mais il est bien fâcheux de perdre ce qu'on aime.
Ciel ! puisque pour un choix j'ai tant philosophé,
995 Faut-il de ses appas m'être si fort coiffé !
Elle n'a ni parents, ni support[5], ni richesse ;
Elle trahit mes soins, mes bontés, ma tendresse :
Et cependant je l'aime, après ce lâche tour,
Jusqu'à ne me pouvoir passer de cet amour.
1000 Sot, n'as-tu point de honte ? Ah ! je crève, j'enrage
Et je souffletterais mille fois mon visage.
Je veux entrer un peu, mais seulement pour voir
Quelle est sa contenance après un trait si noir.
Ciel, faites que mon front soit exempt de disgrâce• ;
1005 Ou bien, s'il est écrit qu'il faille que j'y passe,
Donnez-moi tout au moins, pour de tels accidents,
La constance qu'on voit à de certaines gens !

---

1. *que je me mortifie* : que je m'humilie.
2. *un esprit si présent* : tant de présence d'esprit.
3. *il a empaumé* : il a pris en main, subjugué (familier).
4. *à ma suppression* : me supplantant.
5. *support* : soutien.

Questions

Compréhension

1. *Comment Arnolphe réagit-il à la lettre d'Agnès à Horace? Quels sont les deux sentiments qui lui font dire « je souffre doublement » (v. 986)? Quel tourment nouveau s'avoue-t-il à lui-même (v. 993-999)? Pourquoi s'adresse-t-il des reproches (v. 1000-1001)?*
2. *Quelle portée le dernier vers prend-il (v. 1007)?*

Écriture

3. *Distinguez, en faisant les relevés nécessaires, les différents registres qui sont associés dans ce monologue? Examinez l'effet de leur mélange.*

Mise en scène

4. *Comment peut-on imaginer que Molière interprétait ce monologue, vu ce qu'on sait de son style de jeu? Quel sens vous semble-t-il qu'un acteur doive lui donner?*

Bilan

L'action

• Les leçons d'un tuteur et celles de l'amour

Arnolphe triomphe : Agnès a lancé une pierre à Horace. En attendant le notaire, il lui annonce solennellement qu'il l'épouse et, pour la préparer à sa nouvelle dignité, lui fait un sermon sur ses devoirs et sur les châtiments qui attendent en enfer les épouses infidèles. Agnès ne dit mot et commence à lire sous sa direction un livre de maximes sur le mariage. Arnolphe savoure son pouvoir. Quand Horace survient, il l'accueille gaiement.

Retournement comique : Horace lui révèle qu'avec la pierre Agnès lui a fait parvenir une lettre où elle lui déclare son amour. Éperdument joyeux, Horace sollicite l'aide d'Arnolphe contre le geôlier d'Agnès.

• À quoi nous attendre

S'il a perdu le cœur d'Agnès, Arnolphe veut du moins rester maître de sa personne. Y parviendra-t-il? La logique de la comédie l'interdit. Les surprises résideront seulement dans les péripéties.

Les personnages

• **Arnolphe** *passe du ridicule de la fatuité à celui de la jalousie.*

• **Agnès,** *métamorphosée par l'amour, qui est « un grand maître », découvre son cœur et sa liberté.*

• **Horace,** *le séducteur léger, se transforme en amant enthousiaste et résolu.*

Un acte de grande comédie

L'acte est d'une construction dramatique et comique très forte. Les personnages gagnent en épaisseur psychologique.

On passe d'un jeu sur le cocuage au problème de la condition des femmes dans le mariage.

ACTE IV

SCÈNE PREMIÈRE. Arnolphe

J'ai peine, je l'avoue, à demeurer en place,
Et de mille soucis mon esprit s'embarrasse,
1010 Pour pouvoir mettre un ordre et dedans et dehors
Qui du godelureau[1] rompe tous les efforts.
De quel œil la traîtresse a soutenu ma vue!
De tout ce qu'elle a fait elle n'est point émue;
Et bien qu'elle me mette à deux doigts du trépas,
1015 On dirait, à la voir, qu'elle n'y touche pas[2].
Plus en la regardant je la voyais tranquille,
Plus je sentais en moi s'échauffer une bile*;
Et ces bouillants transports dont s'enflammait mon cœur
Y semblaient redoubler mon amoureuse ardeur;
1020 J'étais aigri, fâché, désespéré contre elle :
Et cependant jamais je ne la vis si belle,
Jamais ses yeux aux miens n'ont paru si perçants,
Jamais je n'eus pour eux des désirs si pressants;
Et je sens là dedans[3] qu'il faudra que je crève
1025 Si de mon triste sort la disgrâce* s'achève.
Quoi? j'aurai dirigé son éducation
Avec tant de tendresse et de précaution,
Je l'aurai fait passer chez moi[4] dès son enfance,
Et j'en aurai chéri la plus tendre espérance,
1030 Mon cœur aura bâti sur ses attraits naissants,
Et cru la mitonner pour moi durant treize ans,
Afin qu'un jeune fou dont elle s'amourache
Me la vienne enlever jusque sur la moustache,
Lorsqu'elle est avec moi mariée à demi?
1035 Non, parbleu! non, parbleu! Petit sot, mon ami,

---

1. *godelureau* : jeune galant (familier et péjoratif).
2. *elle n'y touche pas* : cf. « une sainte Nitouche ».
3. *là dedans* : Arnolphe désigne sa poitrine.
4. *passer chez moi* : entrer chez moi.

Vous aurez beau tourner : ou j'y perdrai mes peines,
Ou je rendrai, ma foi, vos espérances vaines,
Et de moi tout à fait vous ne vous rirez point.

SCÈNE 2. Le notaire, Arnolphe

Le notaire
Ah ! le voilà ! Bonjour. Me voici tout à point
1040 Pour dresser le contrat que vous souhaitez faire.

Arnolphe, *sans le voir*
Comment faire ?

Le notaire
Il le faut dans la forme ordinaire.

Arnolphe, *sans le voir*
À mes précautions je veux songer de près.

Le notaire
Je ne passerai rien[1] contre vos intérêts.

Arnolphe, *sans le voir*
Il se faut garantir de toutes les surprises.

Le notaire
1045 Suffit qu'entre mes mains vos affaires soient mises.
Il ne vous faudra point, de peur d'être déçu,
Quittancer[2] le contrat que vous n'ayez reçu[3].

Arnolphe, *sans le voir*
J'ai peur, si je vais faire éclater quelque chose,
Que de cet incident par la ville on ne cause.

Le notaire
1050 Eh bien, il est aisé d'empêcher cet éclat,
Et l'on peut en secret faire votre contrat.

Arnolphe, *sans le voir*
Mais comment faudra-t-il qu'avec elle j'en sorte ?

1. *je ne passerai rien* : un notaire « passe » — dresse — un acte.
2. *quittancer* : donner quittance.
3. *que vous n'ayez reçu* : avant d'avoir reçu (s.-e. la dot).

LE NOTAIRE

Le douaire[1] se règle au bien qu'on vous apporte.

ARNOLPHE, *sans le voir*

Je l'aime, et cet amour est mon grand embarras.

LE NOTAIRE

On peut avantager une femme en ce cas.

ARNOLPHE, *sans le voir*

1055 Quel traitement lui faire en pareille aventure ?

LE NOTAIRE

L'ordre[2] est que le futur doit douer[3] la future
Du tiers du dot qu'elle a ; mais cet ordre n'est rien,
Et l'on va plus avant lorsque l'on le veut bien.

ARNOLPHE, *sans le voir*

Si...

LE NOTAIRE *(Arnolphe l'apercevant.)*

1060 Pour le préciput[4], il les regarde ensemble.
Je dis que le futur peut, comme bon lui semble,
Douer la future.

ARNOLPHE

Euh[5] !

LE NOTAIRE

Il peut l'avantager
Lorsqu'il l'aime beaucoup et qu'il veut l'obliger[6],
Et cela par douaire, ou préfix[7] qu'on appelle,

1. *douaire* : biens dont l'usufruit (les revenus) est garanti à la femme après la mort de son mari. Le notaire rappelle qu'il se détermine d'après les biens apportés en dot par la future.
2. *l'ordre* : la règle.
3. *douer* : assurer un douaire.
4. *préciput* : avantage prévu, lors du contrat de mariage, pour l'époux survivant.
5. *euh !* : = hé ! (cf. vers 572 et 923).
6. *l'obliger* : lui faire plaisir.
7. *préfix* : le notaire énumère les types de douaires possibles « selon les différents vouloirs », selon les volontés ; le douaire « préfix » (dont le montant est fixé à l'avance dans le contrat de mariage) peut être « perdu » (pour les héritiers de la femme) et faire retour au mari, ou bien être « sans retour » (au mari) et aller « de ladite à ses hoirs » (de celle qui est nommée au contrat à ses héritiers) ; s'il n'est pas « préfix », il est « coutumier », c'est-à-dire déterminé selon la coutume, qui le fixe à la moitié des biens du mari au jour du mariage.

1065 Qui demeure perdu par le trépas d'icelle,
Ou sans retour, qui va de ladite à ses hoirs,
Ou coutumier, selon les différents vouloirs ;
Ou par donation dans le contrat formelle[1],
Qu'on fait ou pure et simple, ou qu'on fait mutuelle.
1070 Pourquoi hausser le dos[2] ? Est-ce qu'on parle en fat,
Et que l'on ne sait pas les formes d'un contrat ?
Qui me les apprendra ? Personne, je présume.
Sais-je pas qu'étant joints, on est par la Coutume
Communs en meubles, biens immeubles et conquêts,[3]
1075 À moins que par un acte on y renonce exprès[4] ?
Sais-je pas que le tiers du bien de la future
Entre en communauté pour...

ARNOLPHE

Oui, c'est chose sûre,
Vous savez tout cela ; mais qui vous en dit mot ?

LE NOTAIRE

Vous, qui me prétendez faire passer pour sot,
1080 En me haussant l'épaule et faisant la grimace.

ARNOLPHE

La peste soit fait l'homme, et sa chienne de face !
Adieu : c'est le moyen de vous faire finir.

LE NOTAIRE

Pour dresser un contrat m'a-t-on pas fait venir ?

ARNOLPHE

1085 Oui, je vous ai mandé• ; mais la chose est remise,
Et l'on vous mandera quand l'heure sera prise.
Voyez quel diable d'homme avec son entretien !

LE NOTAIRE

Je pense qu'il en tient[5], et je crois penser bien.

---

1. *ou par donation (...) formelle* : autre façon d'avantager la future.
2. *hausser le dos* : hausser les épaules.
3. *conquêts* : biens acquis conjointement.
4. *exprès* : expressément.
5. *il en tient* : il est fou.

SCÈNE 3. LE NOTAIRE, ALAIN, GEORGETTE, ARNOLPHE

LE NOTAIRE

M'êtes-vous pas venu quérir pour votre maître?

ALAIN

Oui.

LE NOTAIRE

J'ignore pour qui vous le pouvez connaître,
Mais allez de ma part lui dire de ce pas
1090 Que c'est un fou fieffé.

GEORGETTE

Nous n'y manquerons pas.

Questions

Compréhension

1 *Qu'a fait Arnolphe depuis la fin de l'acte III? Avec quel résultat?*

2. *Dans quel état cela le met-il? Quels sentiments l'animent vis-à-vis d'Agnès d'après les vers 1016-1025, d'après les vers 1026-1038? Et vis-à-vis d'Horace?*

3. *Que continue de faire Arnolphe après l'arrivée du notaire? Que croit celui-ci? À quel moment le quiproquo cesse-t-il? Qu'est-ce qui lui succède?*

4. *Pourquoi Arnolphe renvoie-t-il le notaire (v. 1084)? Que vient souligner la scène 3?*

Ecriture

5. *Étude du monologue d'Arnolphe (sc. 1) :*
— analysez le mouvement oratoire et rythmique de l'ensemble (syntaxe du texte, groupement des vers);
— repérez les vers qui relèvent du style héroïque (à quoi cela tient-il?), ceux qui ramènent l'action dans le registre familier et comique (à quoi cela tient-il?);
— qualifiez ce mélange de tons.

6. *Étude du langage du notaire : à quoi tient son effet comique?*

Mise en scène

7. *À qui s'adresse successivement Arnolphe dans son monologue (sc. 1 et début de la sc. 2)?*

8. *La scène du notaire a été, au XVIIe siècle, à la fois critiquée pour invraisemblance et très appréciée du public. Qu'est-ce que cela révèle sur la nature du théâtre?*

9. *Quelles paroles d'Arnolphe, au début de la scène 1, et du notaire, à la fin de la scène 2, renseignent sur la façon dont Molière interprétait Arnolphe?*

SCÈNE 4. ALAIN, GEORGETTE, ARNOLPHE

ALAIN
Monsieur...

ARNOLPHE
Approchez-vous : vous êtes mes fidèles,
Mes bons, mes vrais amis, et j'en sais des nouvelles[1].

ALAIN
Le notaire...

ARNOLPHE
Laissons, c'est pour quelqu'autre jour.
1095 On veut à mon honneur jouer d'un mauvais tour;
Et quel affront pour vous, mes enfants, pourrait-ce être,
Si l'on avait ôté l'honneur à votre maître!
Vous n'oseriez après paraître en nul endroit,
Et chacun, vous voyant, vous montrerait au doigt.
1100 Donc, puisqu'autant que moi l'affaire vous regarde,
Il faut de votre part faire une telle garde,
Que ce galant ne puisse en aucune façon...

GEORGETTE
Vous nous avez tantôt montré notre leçon.

ARNOLPHE
Mais à ses beaux discours gardez bien de vous rendre.

ALAIN
1105 Oh! vraiment...

GEORGETTE
Nous savons comme* il faut s'en défendre.

ARNOLPHE, *à Alain*
S'il venait doucement : « Alain, mon pauvre cœur,
Par un peu de secours soulage ma langueur. »

---

1. *et j'en sais des nouvelles* : je le sais.

ALAIN

« Vous êtes un sot. »

ARNOLPHE, *à Georgette*

Bon. « Georgette, ma mignonne,
Tu me parais si douce et si bonne personne. »

GEORGETTE

1110 « Vous êtes un nigaud. »

ARNOLPHE, *à Alain*

Bon. « Quel mal trouves-tu
Dans un dessein honnête et tout plein de vertu? »

ALAIN

« Vous êtes un fripon. »

ARNOLPHE, *à Georgette*

Fort bien. « Ma part est sûre,
Si tu ne prends pitié des peines que j'endure. »

GEORGETTE

« Vous êtes un benêt, un impudent. »

ARNOLPHE

Fort bien.
1115 « Je ne suis pas un homme à vouloir rien pour rien;
Je sais, quand on me sert, en garder la mémoire;
Cependant, par avance, Alain, voilà pour boire;
Et voilà pour t'avoir, Georgette, un cotillon :
(Ils tendent tous deux la main, et prennent l'argent.)
Ce n'est de mes bienfaits qu'un simple échantillon.
1120 Toute la courtoisie, enfin, dont je vous presse[1],
C'est que je puisse voir votre belle maîtresse. »

GEORGETTE, *le poussant*

« À d'autres! »

ARNOLPHE

Bon cela.

ALAIN, *le poussant*

« Hors d'ici! »

1. *la courtoisie (...) dont je vous presse* : le service que je vous demande.

ARNOLPHE

Bon.

GEORGETTE, *le poussant*

« Mais tôt[1] ! »

ARNOLPHE

1125 Bon. Holà ! c'est assez.

GEORGETTE

Fais-je pas comme il faut ?

ALAIN

Est-ce de la façon que vous voulez l'entendre ?

ARNOLPHE

1125 Oui, fort bien, hors l'argent, qu'il ne fallait pas prendre.

GEORGETTE

Nous ne nous sommes pas souvenus de ce point.

ALAIN

Voulez-vous qu'à l'instant nous recommencions ?

ARNOLPHE

Point :

Suffit. Rentrez tous deux.

ALAIN

Vous n'avez rien qu'à dire.

ARNOLPHE

Non, vous dis-je, rentrez, puisque je le désire.
1130 Je vous laisse l'argent. Allez : je vous rejoins.
Ayez bien l'œil à tout, et secondez mes soins.

SCÈNE 5. ARNOLPHE

Je veux, pour espion qui soit d'exacte vue[2],
Prendre le savetier du coin de notre rue.
Dans la maison toujours je prétends la tenir,

1. *tôt* : vite.
2. *d'exacte vue* : vigilant.

1135 Y faire bonne garde, et surtout en bannir
Vendeuses de ruban, perruquières, coiffeuses,
Faiseuses de mouchoirs, gantières, revendeuses,
Tous ces gens qui sous main travaillent chaque jour
À faire réussir les mystères d'amour.
1140 Enfin j'ai vu le monde et j'en sais les finesses.
Il faudra que mon homme ait de grandes adresses
Si message ou poulet[1] de sa part peut entrer.

SCÈNE 6. HORACE, ARNOLPHE

HORACE
La place m'est heureuse à vous y rencontrer[2].
Je viens de l'échapper bien belle, je vous jure.
1145 Au sortir d'avec vous, sans prévoir l'aventure,
Seule dans son balcon j'ai vu paraître Agnès,
Qui des arbres prochains prenait un peu le frais.
Après m'avoir fait signe, elle a su faire en sorte,
Descendant au jardin, de m'en ouvrir la porte ;
1150 Mais à peine tous deux dans sa chambre étions-nous,
Qu'elle a sur les degrés[3] entendu son jaloux ;
Et tout ce qu'elle a pu dans un tel accessoire[4],
C'est de me renfermer dans une grande armoire.
Il est entré d'abord• : je ne le voyais pas,
1155 Mais je l'oyais marcher, sans rien dire, à grands pas,
Poussant de temps en temps des soupirs pitoyables,
Et donnant quelquefois de grands coups sur les tables,
Frappant un petit chien qui pour lui s'émouvait,
Et jetant brusquement les hardes• qu'il trouvait ;
1160 Il a même cassé, d'une main mutinée[5],

1. *poulet* : billet galant.
2. *la place m'est heureuse à vous y rencontrer* : j'ai plaisir à vous rencontrer ici.
3. *sur les degrés* : dans l'escalier.
4. *accessoire* : danger.
5. *mutinée* : irritée.

Des vases dont la belle ornait sa cheminée;
Et sans doute il faut bien qu'à ce becque cornu[1]
Du trait qu'elle a joué quelque jour[2] soit venu.
Enfin, après cent tours, ayant de la manière
1165 Sur ce qui n'en peut mais déchargé sa colère,
Mon jaloux inquiet[3], sans dire son ennui•,
Est sorti de la chambre, et moi de mon étui;
Nous n'avons point voulu, de peur du personnage,
Risquer à nous tenir ensemble davantage :
1170 C'était trop hasarder; mais je dois, cette nuit,
Dans sa chambre un peu tard m'introduire sans bruit.
En toussant par trois fois je me ferai connaître;
Et je dois au signal voir ouvrir la fenêtre,
Dont, avec une échelle, et secondé d'Agnès,
1175 Mon amour tâchera de me gagner l'accès.
Comme à mon seul ami, je veux bien vous l'apprendre :
L'allégresse du cœur s'augmente à la répandre;
Et goûtât-on cent fois un bonheur trop parfait,
On n'en est pas content, si quelqu'un ne le sait.
1180 Vous prendrez part, je pense, à l'heur• de mes affaires.
Adieu. Je vais songer aux choses nécessaires.

SCÈNE 7. ARNOLPHE

Quoi? l'astre qui s'obstine à me désespérer
Ne me donnera pas le temps de respirer?
Coup sur coup je verrai, par leur intelligence[4],
1185 De mes soins vigilants confondre la prudence?
Et je serai la dupe, en ma maturité,
D'une jeune innocente et d'un jeune éventé•?
En sage philosophe on m'a vu, vingt années,
Contempler des maris les tristes destinées,

1. *becque cornu* : de l'italien « becco cornuto », bouc cornard.
2. *quelque jour* : quelque lumière.
3. *inquiet* : agité.
4. *intelligence* : complicité.

1190 Et m'instruire avec soin de tous les accidents
Qui font dans le malheur tomber les plus prudents ;
Des disgrâces• d'autrui profitant dans mon âme,
J'ai cherché les moyens, voulant prendre une femme,
De pouvoir garantir mon front de tous affronts,
1195 Et le tirer de pair[1] d'avec les autres fronts.
Pour ce noble dessein, j'ai cru mettre en pratique
Tout ce que peut trouver l'humaine politique ;
Et comme si du sort il était arrêté[2]
Que nul homme ici-bas n'en[3] serait exempté,
1200 Après l'expérience et toutes les lumières
Que j'ai pu m'acquérir sur de telles matières,
Après vingt ans et plus de méditation
Pour me conduire en tout avec précaution,
De tant d'autres maris j'aurais quitté la trace
1205 Pour me trouver après dans la même disgrâce ?
Ah ! bourreau de destin, vous en aurez menti.
De l'objet• qu'on poursuit je suis encor nanti ;
Si son cœur m'est volé par ce blondin funeste,
J'empêcherai du moins qu'on s'empare du reste,
1210 Et cette nuit, qu'on prend pour ce galant exploit,
Ne se passera pas si doucement qu'on croit.
Ce m'est quelque plaisir, parmi tant de tristesse,
Que l'on me donne avis du piège qu'on me dresse,
Et que cet étourdi, qui veut m'être fatal,
1215 Fasse son confident de son propre rival.

1. *le tirer de pair* : le distinguer.
2. *comme si du sort il était arrêté* : comme si c'était un arrêt (une décision) du sort.
3. *en* : mis pour « affronts ».

Questions

Compréhension

1. *Complétez les phrases inachevées d'Alain (v. 1092 et 1094).*

2. *Sur quel ton nouveau Arnolphe s'adresse-t-il à Alain et à Georgette? Que penser du raisonnement qu'il leur tient (v. 1096-1102)?*

3. *En quoi consiste la leçon évoquée (v. 1103) d'après la révision qui en est faite? Qu'y a-t-il de comique dans cette révision (v. 1107-1128)? Alain et Georgette sont-ils aussi « simples » que le croit Arnolphe?*

4. *Quelle évocation amusante des mœurs Arnolphe fait-il dans le monologue qui suit (sc. 5)? Dans quelle conviction est-il à nouveau installé? Quelle complicité le metteur en scène noue-t-il ici avec le public?*

5. *Que révèlent à Arnolphe de nouvelles confidences d'Horace (sc. 6)? Rapprochez-les du récit fait par Arnolphe de sa visite à Agnès (sc. 1). Quelle est l'importance du vers 1154? Quelle image Horace donne-t-il du « jaloux » d'Agnès? Comment justifie-t-il ces confidences bien peu discrètes?*

6. *Arnolphe répond-il à Horace? Quel est le rôle du monologue auquel il se livre après sa sortie (sc. 6)?*

Écriture

7. *Analysez la production de répliques comiques quand Arnolphe fait répéter leur leçon à Alain et Georgette (sc. 4).*

8. *Qu'est-ce qui fait du monologue d'Arnolphe (sc. 6) une parodie de lamento tragique? (Inspirez-vous de l'analyse conduite sur la scène 1 de l'acte IV.)*

Mise en scène

9. *Repérez la construction de l'action scénique. Dans quel registre se déroule-t-elle? avec quelle diversification de moyens?*

SCÈNE 8. CHRYSALDE, ARNOLPHE

CHRYSALDE

Eh bien, souperons-nous avant la promenade?

ARNOLPHE

Non, je jeûne ce soir.

CHRYSALDE

D'où vient cette boutade?

ARNOLPHE

De grâce, excusez-moi : j'ai quelque autre embarras.

CHRYSALDE

Votre hymen résolu[1] ne se fera-t-il pas?

ARNOLPHE

1220 C'est trop s'inquiéter des affaires des autres.

CHRYSALDE

Oh! oh! si brusquement! Quels chagrins• sont les vôtres?
Serait-il point, compère, à votre passion
Arrivé quelque peu de tribulation[2]?
Je le jurerais presque à voir votre visage.

ARNOLPHE

1225 Quoi qu'il m'arrive, au moins aurai-je l'avantage
De ne pas ressembler à de certaines gens
Qui souffrent doucement l'approche des galans.

CHRYSALDE

C'est un étrange fait, qu'avec tant de lumières,
Vous vous effarouchiez[3] toujours sur ces matières;
1230 Qu'en cela vous mettiez le souverain bonheur,
Et ne conceviez point au monde d'autre honneur.
Être avare, brutal•, fourbe, méchant et lâche,
N'est rien, à votre avis, auprès de cette tache;
Et, de quelque façon qu'on puisse avoir vécu,
1235 On est homme d'honneur quand on n'est point cocu.

---

1. *votre hymen résolu* : le mariage que vous avez décidé.
2. *quelque peu de tribulation* : quelque mésaventure.
3. *vous vous effarouchiez* : vous soyez violent.

À le bien prendre au fond, pourquoi voulez-vous croire
Que de ce cas fortuit dépende notre gloire,
Et qu'une âme bien née ait à se reprocher
L'injustice d'un mal qu'on ne peut empêcher?
1240 Pourquoi voulez-vous, dis-je, en prenant une femme,
Qu'on soit digne, à son choix, de louange ou de blâme,
Et qu'on s'aille former un monstre plein d'effroi
De l'affront que nous fait son manquement de foi•?
Mettez-vous dans l'esprit qu'on peut du cocuage
1245 Se faire en galant homme une plus douce image,
Que, des coups du hasard aucun n'étant garant•,
Cet accident de soi[1] doit être indifférent,
Et qu'enfin tout le mal, quoi que le monde glose[2],
N'est que dans la façon de recevoir la chose;
1250 Car, pour se bien conduire en ces difficultés,
Il y faut, comme en tout, fuir les extrémités[3],
N'imiter pas ces gens un peu trop débonnaires
Qui tirent vanité de ces sortes d'affaires,
De leurs femmes toujours vont citant les galants,
1255 En font partout l'éloge, et prônent leurs talents,
Témoignent avec eux d'étroites sympathies,
Sont de tous leurs cadeaux•, de toutes leurs parties
Et font qu'avec raison les gens sont étonnés
De voir leur hardiesse à montrer là leur nez.
1260 Ce procédé•, sans doute, est tout à fait blâmable;
Mais l'autre extrémité n'est pas moins condamnable.
Si je n'approuve pas ces amis des galants,
Je ne suis pas aussi pour ces gens turbulents
Dont l'imprudent chagrin, qui tempête et qui gronde,
1265 Attire au bruit qu'il fait les yeux de tout le monde,
Et qui, par cet éclat, semblent ne pas vouloir
Qu'aucun[4] puisse ignorer ce qu'ils peuvent avoir.
Entre ces deux partis il en est un honnête[5]

---

1. *de soi* : en lui-même.
2. *quoi que le monde glose* : quoi qu'en disent les gens.
3. *fuir les extrémités* : fuir les attitudes extrêmes.
4. *aucun* : quelqu'un.
5. *honnête* : digne de « l'honnête homme ».

Où dans l'occasion[1] l'homme prudent s'arrête ;
1270 Et quand on le sait prendre, on n'a point à rougir
Du pis[2] dont une femme avec nous puisse agir.
Quoi qu'on en puisse dire enfin, le cocuage
Sous des traits moins affreux aisément s'envisage ;
Et, comme je vous dis, toute l'habileté
1275 Ne va qu'à le savoir tourner du bon côté.

ARNOLPHE

Après ce beau discours, toute la confrérie[3]
Doit un remerciement à Votre Seigneurie ;
Et quiconque voudra vous entendre parler
Montrera de la joie à s'y voir enrôler.

CHRYSALDE

1280 Je ne dis pas cela, car c'est ce que je blâme ;
Mais, comme c'est le sort qui nous donne une femme,
Je dis que l'on doit faire ainsi qu'au jeu de dés,
Où, s'il ne vous vient pas ce que vous demandez,
Il faut jouer d'adresse, et d'une âme réduite[4]
1285 Corriger le hasard par la bonne conduite.

ARNOLPHE

C'est-à-dire dormir et manger toujours bien,
Et se persuader que tout cela n'est rien.

CHRYSALDE

Vous pensez vous moquer ; mais, à ne vous rien feindre,
Dans le monde je vois cent choses plus à craindre
1290 Et dont je me ferais un bien plus grand malheur
Que de cet accident qui vous fait tant de peur.
Pensez-vous qu'à choisir de deux choses prescrites,
Je n'aimasse pas mieux être ce que vous dites,
Que de me voir mari de ces femmes de bien,
1295 Dont la mauvaise humeur fait un procès sur rien,
Ces dragons de vertu, ces honnêtes diablesses,

---

1. *dans l'occasion* : quand cela se produit.
2. *du pis* : de la plus mauvaise façon.
3. *la confrérie* : s.-e. « des cocus ».
4. *réduite* : résignée.

Se retranchant toujours sur leurs sages prouesses,
Qui, pour un petit tort qu'elles ne nous font pas,
Prennent droit de traiter les gens de haut en bas,
1300 Et veulent, sur le pied de nous être fidèles[1],
Que nous soyons tenus à tout endurer d'elles ?
Encore un coup, compère, apprenez qu'en effet
Le cocuage n'est que ce que l'on le fait,
Qu'on peut le souhaiter pour de certaines causes,
1305 Et qu'il a ses plaisirs comme les autres choses.

ARNOLPHE

Si vous êtes d'humeur à vous en contenter•,
Quant à moi, ce n'est pas la mienne d'en tâter
Et plutôt que subir une telle aventure...

CHRYSALDE

Mon Dieu ! ne jurez point, de peur d'être parjure.
1310 Si le sort l'a réglé, vos soins sont superflus,
Et l'on ne prendra pas votre avis là-dessus.

ARNOLPHE

Moi, je serais cocu ?

CHRYSALDE

Vous voilà bien malade !
Mille gens le sont bien, sans vous faire bravade,
Qui de mine, de cœur, de biens et de maison[2],
1315 Ne feraient avec vous nulle comparaison.

ARNOLPHE

Et moi, je n'en voudrais avec eux faire aucune.
Mais cette raillerie, en un mot, m'importune :
Brisons là[3], s'il vous plaît.

CHRYSALDE

Vous êtes en courroux.
Nous en saurons la cause. Adieu. Souvenez-vous,
1320 Quoi que sur ce sujet votre honneur vous inspire,
Que c'est être à demi ce que l'on vient de dire,

1. *sur le pied de nous être fidèles* : au titre de leur fidélité.
2. *maison* : lignée familiale (se dit des familles nobles).
3. *brisons là* : arrêtons.

Que de vouloir jurer qu'on ne le sera pas.

ARNOLPHE

Moi, je le jure encore, et je vais de ce pas
Contre cet accident trouver un bon remède.

SCÈNE 9. ALAIN, GEORGETTE, ARNOLPHE

ARNOLPHE

1325 Mes amis, c'est ici que j'implore votre aide.
Je suis édifié de[1] votre affection ;
Mais il faut qu'elle éclate en cette occasion ;
Et si vous m'y servez selon ma confiance[2],
Vous êtes assurés de votre récompense.
1330 L'homme que vous savez (n'en faites point de bruit)
Veut, comme je l'ai su, m'attraper cette nuit,
Dans la chambre d'Agnès entrer par escalade ;
Mais il lui faut nous trois dresser une embuscade,
Je veux que vous preniez chacun un bon bâton,
1335 Et quand il sera près du dernier échelon
(Car dans le temps qu'il faut j'ouvrirai la fenêtre),
Que tous deux, à l'envi, vous me chargiez ce traître,
Mais d'un air[3] dont son dos garde le souvenir,
Et qui lui puisse apprendre à n'y plus revenir :
1340 Sans me nommer pourtant en aucune manière,
Ni faire aucun semblant[4] que je serai derrière.
Aurez-vous bien l'esprit de servir mon courroux ?

ALAIN

S'il ne tient qu'à frapper, Monsieur, tout est à nous.
Vous verrez, quand je bats, si j'y vais de main morte.

GEORGETTE

1345 La mienne, quoique aux yeux elle n'est pas si forte,
N'en quitte pas sa part à le bien étriller.

---

1. *je suis édifié de* : je suis instruit de, je connais.
2. *selon ma confiance* : comme je l'espère.
3. *d'un air* : d'une façon.
4. *faire semblant* : laisser paraître.

ARNOLPHE

Rentrez donc, et surtout gardez de babiller.
Voilà pour le prochain une leçon utile ;
Et si tous les maris qui sont en cette ville
1350 De leurs femmes ainsi recevaient le galant,
Le nombre des cocus ne serait pas si grand.

Jacques Callot, les Cornes, B.N.

Questions

Compréhension

1. *De quelle humeur Arnolphe est-il quand Chrysalde se présente? Quel ton celui-ci prend-il, devinant ce qui arrive à son ami? Arnolphe l'accepte-t-il (v. 1216-1227) ?*

2. *Que lui prêche alors Chrysalde? Jusqu'à quel paradoxe pousse-t-il son raisonnement (v. 1228-1275)? Avec quel résultat (v. 1276-1287)?*

3. *En réplique à l'humeur sarcastique d'Arnolphe, que se plaît-il à continuer de faire (v. 1288-1305)? Rapprochez son attitude de ce qu'il a prédit à Arnolphe (cf. I, 1).*

4. *Comment Arnolphe se comporte-t-il sous l'effet du persiflage de Chrysalde? Quel est le rôle de cette fin de scène du point de vue de l'action?*

5. *Quelles dispositions nouvelles Arnolphe adopte-t-il (sc. 9)?*

Écriture

6. *Étudiez la construction du paradoxe que Chrysalde soutient sur le cocuage (v. 1288-1305 : arguments et syntaxe du texte). (Observer que l'éloge du cocuage est un thème de paradoxe burlesque. La Fontaine l'exploite dans l'un de ses contes, « La Coupe enchantée » :*

« Apprenez qu'à Paris ce n'est pas comme à Rome :
Le cocu qui s'afflige y passe pour un sot;
Et le cocu qui rit, pour un fort honnête homme.
Quand on prend comme il faut cet accident fatal,
Cocuage n'est point un mal.
Prouvons que c'est un bien : la chose est fort facile. »)

Mise en scène

7. *À quel registre cet épisode appartient-il? Comment interpréter le rôle de Chrysalde?*

Bilan

L'action

• Le désarroi d'un système et d'une passion

Agnès brave Arnolphe avec tranquillité, et cependant « jamais (il) ne la vi(t) si belle ». Dans son agitation, il n'entend même pas le notaire qu'il a convoqué, et ce grotesque le traite de fou. Il fait la leçon à Alain et à Georgette de façon ridicule, sans voir qu'ils se moquent de lui. Horace vient chanter victoire devant lui et se vanter qu'Agnès lui ait donné un rendez-vous nocturne. Et là-dessus Chrysalde lui débite des conseils narquois.

Arnolphe se jure de ne pas être cocu et arme ses gens de bâtons pour accueillir Horace.

• À quoi nous attendre

Arnolphe l'emportera-t-il sur l'amour des jeunes gens ? Non, sans aucun doute. Mais les bâtons et la témérité d'Horace donnent à prévoir des péripéties à la fois romanesques et comiques.

Les personnages

• **Arnolphe,** *le jaloux coléreux, est de plus en plus ridicule.*

• **Agnès,** *l'ingénue, est de plus en plus délurée.*

• **Horace,** *l'étourdi, est de plus en plus audacieux.*

• **Chrysalde,** *le raisonneur, est de plus en plus railleur.*

• **Alain** *et* **Georgette,** *les simples, deviennent goguenards.*

• **Un notaire** *grotesque trouve plus fou que lui.*

L'écriture théâtrale

Diversité et virtuosité : monologues héroï-comiques, faux dialogue, dialogue à double entente, nouvelles confidences inopportunes, paradoxe ironique, tout concourt à faire qu'on s'amuse d'un homme prisonnier de lui-même.

Mlle. DEBRIE.

dans le rôle d'Agnès de l'École des femm

ACTE V

SCÈNE PREMIÈRE. ALAIN, GEORGETTE, ARNOLPHE

ARNOLPHE

Traîtres, qu'avez-vous fait par cette violence?

ALAIN

Nous vous avons rendu, Monsieur, obéissance.

ARNOLPHE

De cette excuse en vain vous voulez vous armer :
1355 L'ordre était de le battre, et non de l'assommer;
Et c'était sur le dos, et non pas sur la tête,
Que j'avais commandé qu'on fît choir la tempête.
Ciel! dans quel accident me jette ici le sort!
Et que puis-je résoudre[1] à voir cet homme mort?
1360 Rentrez dans la maison, et gardez de rien dire
De cet ordre innocent que j'ai pu vous prescrire.
Le jour s'en va paraître, et je vais consulter[2]
Comment dans ce malheur je me dois comporter.
Hélas! que deviendrai-je? et que dira le père,
1365 Lorsque inopinément il saura cette affaire?

SCÈNE 2. HORACE, ARNOLPHE

HORACE

Il faut que j'aille un peu reconnaître qui c'est.

ARNOLPHE

Eût-on jamais prévu... Qui va là, s'il vous plaît?

HORACE

C'est vous, Seigneur Arnolphe?

1. *résoudre* : décider.
2. *consulter* : examiner

ARNOLPHE

Oui. Mais vous?...

HORACE

C'est Horace.

Je m'en allais chez vous, vous prier d'une grâce.
1370 Vous sortez bien matin!

ARNOLPHE, *bas*

Quelle confusion!

Est-ce un enchantement? est-ce une illusion?

HORACE

J'étais, à dire vrai, dans une grande peine,
Et je bénis du Ciel la bonté souveraine
Qui fait qu'à point nommé je vous rencontre ainsi.
1375 Je viens vous avertir que tout a réussi,
Et même beaucoup plus que je n'eusse osé dire,
Et par un incident qui devait tout détruire.
Je ne sais point par où l'on a pu soupçonner
Cette assignation[1] qu'on m'avait su donner;
1380 Mais, étant sur le point d'atteindre à la fenêtre,
J'ai, contre mon espoir, vu quelques gens• paraître,
Qui, sur moi brusquement levant chacun le bras,
M'ont fait manquer le pied et tomber jusqu'en bas,
Et ma chute, aux dépens de[2] quelque meurtrissure,
1385 De vingt coups de bâton m'a sauvé l'aventure[3].
Ces gens-là, dont était[4], je pense, mon jaloux,
Ont imputé ma chute à l'effort de leurs coups;
Et, comme la douleur, un assez long espace[5],
M'a fait sans remuer demeurer sur la place,
1390 Ils ont cru tout de bon qu'ils m'avaient assommé,
Et chacun d'eux s'en est aussitôt alarmé.
J'entendais tout leur bruit dans le profond silence:
L'un l'autre ils s'accusaient de cette violence;

---

1. *assignation* : rendez-vous.
2. *aux dépens de* : au prix de.
3. *m'a sauvé l'aventure* : m'a épargné l'aventure.
4. *dont était* : avec lesquels était.
5. *un assez long espace* : un assez long moment.

Et sans lumière aucune, en querellant le sort,
1395 Sont venus doucement tâter si j'étais mort :
Je vous laisse à penser si, dans la nuit obscure,
J'ai d'un vrai trépassé su tenir la figure[1].
Ils se sont retirés avec beaucoup d'effroi ;
Et comme je songeais à me retirer, moi,
1400 De cette feinte mort la jeune Agnès émue
Avec empressement est devers moi venue ;
Car les discours qu'entre eux ces gens avaient tenus
Jusques à son oreille étaient d'abord• venus,
Et pendant tout ce trouble étant moins observée,
1405 Du logis aisément elle s'était sauvée ;
Mais me trouvant sans mal, elle a fait éclater
Un transport• difficile à bien représenter.
Que vous dirai-je ? Enfin cette aimable personne
A suivi les conseils que son amour lui donne,
1410 N'a plus voulu songer à retourner chez soi,
Et de tout son destin s'est commise à ma foi[2].
Considérez un peu, par ce trait d'innocence,
Où l'expose d'un fou la haute impertinence•,
Et quels fâcheux périls elle pourrait courir,
1415 Si j'étais maintenant homme à la moins chérir.
Mais d'un trop pur amour mon âme est embrasée :
J'aimerais mieux mourir que l'avoir abusée• ;
Je lui vois des appas dignes d'un autre sort,
Et rien ne m'en saurait séparer que la mort.
1420 Je prévois là-dessus l'emportement d'un père ;
Mais nous prendrons le temps d'apaiser sa colère.
À des charmes si doux je me laisse emporter,
Et dans la vie enfin il se faut contenter•.
Ce que je veux de vous, sous un secret fidèle,
1425 C'est que je puisse mettre en vos mains cette belle,
Que dans votre maison, en faveur de mes feux[3],
Vous lui donniez retraite au moins un jour ou deux.
Outre qu'aux yeux du monde il faut cacher sa fuite,

1. *tenir la figure* : garder l'apparence.
2. *s'est commise à ma foi* : s'en est remise à ma parole.
3. *en faveur de mes feux* : en considération de ma passion amoureuse.

Et qu'on en pourra faire une exacte poursuite,
1430 Vous savez qu'une fille aussi de sa façon[1]
Donne avec un jeune homme un étrange soupçon ;
Et comme c'est à vous, sûr de votre prudence,
Que j'ai fait de mes feux• entière confidence,
C'est à vous seul aussi, comme ami généreux[2],
1435 Que je puis confier ce dépôt amoureux.

ARNOLPHE
Je suis, n'en doutez point, tout à votre service.

HORACE
Vous voulez bien me rendre un si charmant office[3] ?

ARNOLPHE
Très volontiers, vous dis-je ; et je me sens ravir
De cette occasion que j'ai de vous servir,
1440 Je rends grâces au Ciel de ce qu'il me l'envoie,
Et n'ai jamais rien fait avec si grande joie.

HORACE
Que je suis redevable à toutes vos bontés !
J'avais de votre part craint des difficultés ;
Mais vous êtes du monde[4], et dans votre sagesse
1445 Vous savez excuser le feu de la jeunesse.
Un de mes gens la garde au coin de ce détour.

ARNOLPHE
Mais comment ferons-nous ? car il fait un peu jour.
Si je la prends ici, l'on me verra peut-être ;
Et s'il faut que chez moi vous veniez à paraître,
1450 Des valets causeront. Pour jouer au plus sûr[5],
Il faut me l'amener dans un lieu plus obscur :
Mon allée est commode, et je l'y vais attendre.

HORACE
Ce sont précautions qu'il est fort bon de prendre.

---

1. *de sa façon* : de son air (allusion à sa beauté).
2. *généreux* : au cœur noble.
3. *un si charmant office* : un service qui me ferait un si grand plaisir.
4. *monde* : bonne société.
5. *au plus sûr* : de la manière la plus sûre.

Pour moi, je ne ferai que vous la mettre en main,
1455 Et chez moi, sans éclat, je retourne soudain.

ARNOLPHE, *seul*

Ah! fortune, ce trait d'aventure[1] propice
Répare tous les maux que m'a faits ton caprice!
(Il s'enveloppe le nez de son manteau.)

Gravure de François Joullain, d'après le dessin de Charles-Antoine Coypel.

1. *d'aventure* : par hasard.

Questions

Compréhension

1. *Quels rebondissements viennent assurer le crescendo de l'intérêt dramatique? Quelle impression produisent-ils? Est-ce la vraisemblance qui compte ici?*

2. *Quel est l'effet des vers 1371-1377? Sous quelles couleurs Horace fait-il apparaître l'affaire du balcon et sa chute; la conduite d'Agnès; ses sentiments et ses intentions à l'égard de la jeune fille? Comment cette narration peut-elle être reçue par Arnolphe?*

3. *Qu'est-ce qui fait le comique à partir du vers 1424? Quelle est la pensée qui se cache derrière les promesses de service débitées par Arnolphe? Expliquez les raisons des précautions qu'il propose de prendre.*

Ecriture

4. *Étudiez dans la tirade d'Horace :*
— le récit de sa chute (v. 1378-1397) : organisation, syntaxe du texte, rythme, vocabulaire et procédés de mise en valeur;
— les vers où il parle d'Agnès et de son amour pour elle (v. 1408-1423) : syntaxe du texte, rythme et vocabulaire.

Mise en scène

5. *Dans quel espace et sous quel éclairage faut-il imaginer l'action? Repérez le découpage de l'épisode et les effets sur lesquels il est construit.*

SCÈNE 3. AGNÈS, HORACE, ARNOLPHE

HORACE

Ne soyez point en peine où[1] je vais vous mener :
C'est un logement sûr que je vous fais donner.
1460 Vous loger avec moi, ce serait tout détruire :
Entrez dans cette porte et laissez-vous conduire.
(Arnolphe lui prend la main sans qu'elle le reconnaisse.)

AGNÈS

Pourquoi me quittez-vous?

HORACE

Chère Agnès, il le faut.

AGNÈS

Songez donc, je vous prie, à revenir bientôt.

HORACE

J'en suis assez pressé par ma flamme amoureuse.

AGNÈS

1465 Quand je ne vous vois point, je ne suis point joyeuse.

HORACE

Hors de votre présence, on me voit triste aussi.

AGNÈS

Hélas! s'il était vrai[2], vous resteriez ici.

HORACE

Quoi! vous pourriez douter de mon amour extrême!

AGNÈS

Non, vous ne m'aimez pas autant que je vous aime.
(Arnolphe la tire.)
1470 Ah! l'on me tire trop.

HORACE

C'est qu'il est dangereux,
Chère Agnès, qu'en ce lieu nous soyons vus tous deux;
Et le parfait ami de qui la main vous presse

---

1. *ne soyez point en peine où...* (interrogative indirecte) : ne vous demandez pas avec inquiétude où...
2. *s'il était vrai* : si c'était vrai.

Suit le zèle prudent qui pour nous l'intéresse[1].

AGNÈS
Mais suivre un inconnu que...

HORACE
N'appréhendez rien :
1475 Entre de telles mains vous ne serez que bien.

AGNÈS
Je me trouverais mieux entre celles d'Horace,
Et j'aurais...
(À Arnolphe qui la tire encore.)
Attendez.

HORACE
Adieu : le jour me chasse.

AGNÈS
Quand vous verrai-je donc?

HORACE
Bientôt, assurément.

AGNÈS
Que je vais m'ennuyer[2] jusques à ce moment!

HORACE
1480 Grâce au Ciel, mon bonheur n'est plus en concurrence,
Et je puis maintenant dormir en assurance.

SCÈNE 4. ARNOLPHE, AGNÈS

ARNOLPHE, *le nez dans son manteau*
Venez, ce n'est pas là que je vous logerai,
Et votre gîte ailleurs est par moi préparé :
Je prétends en lieu sûr mettre votre personne.

---

1. *suit le zèle prudent qui pour nous l'intéresse* : obéit au zèle prudent qui le fait s'intéresser à nous.
2. *m'ennuyer* : me tourmenter.

1485 Me connaissez-vous?

AGNÈS, *le reconnaissant*

Hay!

ARNOLPHE

Mon visage, friponne,
Dans cette occasion rend vos sens effrayés[1],
Et c'est à contrecœur qu'ici vous me voyez.
Je trouble en ses projets l'amour qui vous possède.
(Agnès regarde si elle ne verra point Horace.)
N'appelez point des yeux le galant• à votre aide :
1490 Il est trop éloigné pour vous donner secours.
Ah! ah! si jeune encor, vous jouez de ces tours!
Votre simplicité, qui semble sans pareille,
Demande si l'on fait les enfants par l'oreille;
Et vous savez donner des rendez-vous la nuit,
1495 Et pour suivre un galant vous évader sans bruit.
Tudieu! comme avec lui votre langue cajole[2]!
Il faut qu'on vous ait mise à quelque bonne école.
Qui diantre tout d'un coup vous en a tant appris?
Vous ne craignez donc plus de trouver des esprits[3]?
1500 Et ce galant, la nuit, vous a donc enhardie?
Ah! coquine, en venir à cette perfidie!
Malgré tous mes bienfaits former un tel dessein!
Petit serpent que j'ai réchauffé dans mon sein,
Et qui, dès qu'il se sent[4], par une humeur ingrate,
1505 Cherche à faire du mal à celui qui le flatte[5]!

AGNÈS

Pourquoi me criez-vous?

ARNOLPHE

J'ai grand tort en effet.

AGNÈS

Je n'entends• point de mal dans tout ce que j'ai fait.

---

1. *rend vos sens effrayés* : vous effraie.
2. *cajole* : jacasse.
3. *des esprits* : des revenants.
4. *dès qu'il se sent* : dès qu'il est conscient de ses forces.
5. *flatte* : caresse.

ARNOLPHE
Suivre un galant n'est pas une action infâme?

AGNÈS
C'est un homme qui dit qu'il me veut pour sa femme :
1510 J'ai suivi vos leçons, et vous m'avez prêché
Qu'il se faut marier pour ôter le péché.

ARNOLPHE
Oui. Mais, pour femme, moi je prétendais vous prendre ;
Et je vous l'avais fait, me semble, assez entendre•.

AGNÈS
Oui. Mais, à vous parler franchement entre nous,
1515 Il est plus pour cela selon mon goût que vous.
Chez vous le mariage est fâcheux et pénible,
Et vos discours en font une image terrible;
Mais, las! il le fait, lui, si rempli de plaisirs,
Que de se marier il donne des désirs.

ARNOLPHE
1520 Ah! c'est que vous l'aimez, traîtresse!

AGNÈS
Oui, je l'aime.

ARNOLPHE
Et vous avez le front de le dire à moi-même!

AGNÈS
Et pourquoi, s'il est vrai[1], ne le dirais-je pas?

ARNOLPHE
Le deviez-vous aimer, impertinente•?

AGNÈS
Hélas!
Est-ce que j'en puis mais? Lui seul en est la cause;
1525 Et je n'y songeais pas lorsque se fit la chose.

ARNOLPHE
Mais il fallait chasser cet amoureux désir.

AGNÈS
Le moyen de chasser ce qui fait du plaisir?

---

1. *s'il est vrai* : si c'est vrai (cf. v. 1467).

ARNOLPHE
Et ne saviez-vous pas que c'était me déplaire ?

AGNÈS
Moi ? point du tout. Quel mal cela vous peut-il faire ?

ARNOLPHE
1530 Il est vrai, j'ai sujet d'en être réjoui.
Vous ne m'aimez donc pas, à ce compte ?

AGNÈS
Vous ?

ARNOLPHE
Oui.

AGNÈS
Hélas ! non.

ARNOLPHE
Comment, non ?

AGNÈS
Voulez-vous que je mente ?

ARNOLPHE
Pourquoi ne m'aimer pas, Madame l'impudente ?

AGNÈS
Mon Dieu, ce n'est pas moi que vous devez blâmer :
1535 Que ne vous êtes-vous, comme lui, fait aimer ?
Je ne vous en ai pas empêché, que je pense.

ARNOLPHE
Je m'y suis efforcé de toute ma puissance ;
Mais les soins que j'ai pris, je les ai perdus tous.

AGNÈS
Vraiment, il en sait donc là-dessus plus que vous ;
1540 Car à se faire aimer il n'a point eu de peine.

ARNOLPHE
Voyez comme raisonne et répond la vilaine !
Peste ! une précieuse en dirait-elle plus ?
Ah ! je l'ai mal connue ; ou, ma foi ! là-dessus
Une sotte en sait plus que le plus habile• homme,
1545 Puisqu'en raisonnement votre esprit se consomme[1],

---

1. *se consomme* : est d'une habileté consommée, atteint la perfection.

La belle raisonneuse, est-ce qu'un si long temps
Je vous aurai pour lui nourrie• à mes dépens?

AGNÈS

Non. Il vous rendra tout jusques au dernier double[1].

ARNOLPHE

Elle a de certains mots où mon dépit redouble.
1550 Me rendra-t-il, coquine, avec tout son pouvoir,
Les obligations que vous pouvez m'avoir?

AGNÈS

Je ne vous en ai pas de si grandes qu'on pense.

ARNOLPHE

N'est-ce rien que les soins d'élever votre enfance?

AGNÈS

Vous avez là-dedans bien opéré vraiment,
1555 Et m'avez fait en tout instruire joliment!
Croit-on que je me flatte, et qu'enfin, dans ma tête,
Je ne juge pas bien que je suis une bête?
Moi-même, j'en ai honte; et, dans l'âge où je suis,
Je ne veux plus passer pour sotte, si je puis.

ARNOLPHE

1560 Vous fuyez l'ignorance, et voulez, quoi qu'il coûte,
Apprendre du blondin quelque chose?

AGNÈS

Sans doute•.

C'est de lui que je sais ce que je puis savoir :
Et beaucoup plus qu'à vous je pense lui devoir.

ARNOLPHE

Je ne sais qui me tient[2] qu'avec une gourmade[3]
1565 Ma main de ce discours ne venge la bravade.
J'enrage quand je vois sa piquante froideur,
Et quelques coups de poing satisferaient mon cœur.

AGNÈS

Hélas! vous le pouvez, si cela peut vous plaire.

---

1. *double* : pièce de deux deniers (= 1/6e de sol).
2. *je ne sais qui me tient* : je ne sais ce qui me retient.
3. *gourmade* : coup de poing (familier).

ARNOLPHE

Ce mot, et ce regard, désarme ma colère,
1570 Et produit un retour de tendresse et de cœur,
Qui de son action m'efface la noirceur.
Chose étrange d'aimer, et que pour ces traîtresses
Les hommes soient sujets à de telles faiblesses !
Tout le monde connaît leur imperfection :
1575 Ce n'est qu'extravagance et qu'indiscrétion[1].
Leur esprit est méchant, et leur âme fragile ;
Il n'est rien de plus faible et de plus imbécile[2].
Rien de plus infidèle : et malgré tout cela,
Dans le monde on fait tout pour ces animaux-là.
1580 Hé bien ! faisons la paix. Va, petite traîtresse,
Je te pardonne tout et te rends ma tendresse.
Considère par là l'amour que j'ai pour toi,
Et me voyant si bon, en revanche aime-moi.

AGNÈS

Du meilleur de mon cœur je voudrais vous complaire :
1585 Que me coûterait-il, si je le pouvais faire ?

ARNOLPHE

Mon pauvre petit bec, tu le peux, si tu veux.
(Il fait un soupir.)
Écoute seulement ce soupir amoureux,
Vois ce regard mourant, contemple ma personne,
Et quitte ce morveux et l'amour qu'il te donne.
1590 C'est quelque sort qu'il faut qu'il ait jeté sur toi,
Et tu seras cent fois plus heureuse avec moi.
Ta forte passion est d'être brave[3] et leste[4] :
Tu le seras toujours, va, je te le proteste[5].
Sans cesse, nuit et jour, je te caresserai,
1595 Je te bouchonnerai[6], baiserai, mangerai ;

1. *indiscrétion* : manque de discernement.
2. *imbécile* : sans force intellectuelle et morale.
3. *brave* : bien vêtue.
4. *leste* : élégante.
5. *je te le proteste* : je te le promets.
6. *je te bouchonnerai* : « *Bouchonner* se dit dans le style bas et comique pour cajoler, faire des caresses. » (Furetière)

Tout comme tu voudras, tu pourras te conduire :
Je ne m'explique point, et cela, c'est tout dire.
(À part.)
Jusqu'où la passion peut-elle faire aller!
Enfin à mon amour rien ne peut s'égaler :
1600 Quelle preuve veux-tu que je t'en donne, ingrate,
Me veux-tu voir pleurer? Veux-tu que je me batte?
Veux-tu que je m'arrache un côté de cheveux?
Veux-tu que je me tue? Oui, dis si tu le veux :
Je suis tout prêt, cruelle, à te prouver ma flamme.

AGNÈS

1605 Tenez, tous vos discours ne me touchent point l'âme :
Horace avec deux mots en ferait plus que vous.

ARNOLPHE

Ah! c'est trop me braver, trop pousser mon courroux.
Je suivrai mon dessein, bête trop indocile,
Et vous dénicherez à l'instant de la ville.
1610 Vous rebutez mes vœux et me mettez à bout;
Mais un cul de couvent me vengera de tout.

SCÈNE 5. ALAIN, ARNOLPHE

ALAIN

Je ne sais ce que c'est, Monsieur, mais il me semble
Qu'Agnès et le corps mort s'en sont allés ensemble.

ARNOLPHE

La voici. Dans ma chambre allez me la nicher :
1615 Ce ne sera pas là qu'il la viendra chercher;
Et puis c'est seulement pour une demi-heure :
Je vais, pour lui donner une sûre demeure,
Trouver une voiture. Enfermez-vous des mieux,
Et surtout gardez-vous de la quitter des yeux.
1620 Peut-être que son âme, étant dépaysée,
Pourra de cet amour être désabusée[1].

---

1. *désabusée* : libérée de la tromperie (de cet amour).

Questions

Compréhension

1. *Quelle image la scène 3 donne-t-elle d'Agnès? d'Horace? d'Arnolphe? Quel effet vous paraît-elle viser à produire?*

2. *Analysez les reproches qu'Arnolphe adresse à Agnès après s'être fait reconnaître (v. 1485-1505). À quel préjugé contre la nature féminine sont-ils liés?*

3. *Par quels arguments Agnès y répond-elle (v. 1506-1522)? Quel est l'effet scénique des vers 1510-1511, 1514-1515, 1518-1519?*

4. *Que tente d'opposer Arnolphe au « Oui, je l'aime » d'Agnès? Au nom de quoi réclame-t-il son amour? Sur quoi celui d'Agnès pour Horace est-il fondé (v. 1523-1551)?*

5. *Comment Agnès réplique-t-elle à l'appel d'Arnolphe à la reconnaissance? Comment achève-t-elle d'expliquer son attachement à Horace (v. 1552-1563)?*

6. *Pourquoi Arnolphe a-t-il un accès de colère (v. 1564-1567)? Pourquoi sa colère tombe-t-elle tout à coup? À qui explique-t-il ce changement (v. 1568-1579)?*

7. *Abandonnant les reproches, à quel ton, à quelle argumentation recourt-il; à quelles promesses (v. 1580-1597)? À quelle attitude en est-il arrivé, qu'il reprochait jusqu'à présent aux maris?*

8. *Comment Arnolphe réagit-il à son échec (v. 1607-1621)?*

Écriture

9. *Déterminez d'après des indices stylistiques la tonalité que Molière donne à la déclaration d'amour et aux supplications d'Arnolphe (v. 1569-1604).*

Mise en scène

10. *Examinez cette réflexion que Molière prête au poète Lysidas dans* la Critique de l'École des Femmes *(sc. 6) :*
« Et ce Monsieur de la Souche enfin, qu'on nous fait un homme d'esprit, et qui paraît si sérieux en tant d'endroits, ne descend-il point dans quelque chose de trop comique et de trop outré au cinquième acte, lorsqu'il explique à Agnès la violence de son amour, avec ces roulements d'yeux extravagants, ces soupirs ridicules, et ces larmes niaises qui font rire tout le monde ? »
Que nous apprend-elle sur la mise en scène de Molière ?

SCÈNE 6. HORACE, ARNOLPHE

HORACE

Ah! je viens vous trouver, accablé de douleur.
Le Ciel, Seigneur Arnolphe, a conclu[1] mon malheur,
Et, par un trait fatal d'une injustice extrême,
1625 On me veut arracher de la beauté que j'aime.
Pour arriver ici mon père a pris le frais[2];
J'ai trouvé qu'il mettait pied à terre ici près;
Et la cause, en un mot, d'une telle venue,
Qui, comme je disais, ne m'était pas connue,
1630 C'est qu'il m'a marié sans m'en récrire rien,
Et qu'il vient en ces lieux célébrer ce lien.
Jugez, en prenant part à mon inquiétude,
S'il pouvait m'arriver un contretemps plus rude.
Cet Enrique, dont hier je m'informais à vous,
1635 Cause tout le malheur dont je ressens les coups;
Il vient avec mon père achever ma ruine•,
Et c'est sa fille unique à qui l'on me destine.
J'ai, dès leurs premiers mots, pensé m'évanouir;
Et d'abord•, sans vouloir plus longtemps les ouïr,
1640 Mon père ayant parlé de vous rendre visite,
L'esprit plein de frayeur je l'ai devancé vite.
De grâce, gardez-vous de lui rien découvrir
De mon engagement qui le pourrait aigrir;
Et tâchez, comme en vous il prend grande créance[3],
1645 De le dissuader de cette autre alliance.

ARNOLPHE

Oui-da.

HORACE

Conseillez-lui de différer un peu,
Et rendez, en ami, ce service à mon feu•.

ARNOLPHE

Je n'y manquerai pas.

---

1. *a conclu* : a décidé.
2. *a pris le frais* : a choisi les heures fraîches.
3. *comme en vous il prend grande créance* : comme il a en vous une grande confiance.

HORACE

C'est en vous que j'espère.

ARNOLPHE

Fort bien.

HORACE

Et je vous tiens mon véritable père.
1650 Dites-lui que mon âge... Ah ! je le vois venir.
Écoutez les raisons que je vous puis fournir :
(Ils demeurent en un coin du théâtre.)

SCÈNE 7. ENRIQUE, ORONTE, CHRYSALDE, HORACE, ARNOLPHE

ENRIQUE, *à Chrysalde*

Aussitôt qu'à mes yeux je vous ai vu paraître,
Quand on ne m'eût rien dit, j'aurais su vous connaître[1].
Je vous vois tous les traits de cette aimable sœur
1655 Dont l'hymen autrefois m'avait fait possesseur ;
Et je serais heureux si la Parque cruelle
M'eût laissé ramener cette épouse fidèle,
Pour jouir avec moi des sensibles douceurs
De revoir tous les siens après nos longs malheurs.
1660 Mais puisque du destin la fatale puissance
Nous prive pour jamais de sa chère présence,
Tâchons de nous résoudre, et de nous contenter•
Du seul fruit amoureux qu'il m'en est pu rester.
Il vous touche de près ; et, sans votre suffrage[2],
1665 J'aurais tort de vouloir disposer de ce gage.
Le choix du fils d'Oronte est glorieux de soi ;
Mais il faut que ce choix vous plaise comme à moi.

CHRYSALDE

C'est de mon jugement avoir mauvaise estime,

1. *connaître* : reconnaître.
2. *suffrage* : approbation.

Que douter si j'approuve un choix si légitime.

ARNOLPHE, *à Horace*

1670 Oui, je vais vous servir de la bonne façon.

HORACE

Gardez, encore un coup...

ARNOLPHE

N'ayez aucun soupçon.

ORONTE, *à Arnolphe*

Ah! que cette embrassade est pleine de tendresse!

ARNOLPHE

Que je sens à vous voir une grande allégresse!

ORONTE

Je suis ici venu...

ARNOLPHE

Sans m'en faire récit,

1675 Je sais ce qui vous mène[1].

ORONTE

On vous l'a déjà dit?

ARNOLPHE

Oui.

ORONTE

Tant mieux.

ARNOLPHE

Votre fils à cet hymen résiste,
Et son cœur prévenu[2] n'y voit rien que de triste :
Il m'a même prié de vous en détourner;
Et moi, tout le conseil que je vous puis donner,
1680 C'est de ne pas souffrir que ce nœud se diffère,
Et de faire valoir l'autorité de père.
Il faut avec vigueur ranger[3] les jeunes gens,
Et nous faisons contre eux[4] à leur être indulgents.

---

1. *ce qui vous mène* : ce qui vous amène.
2. *prévenu* : plein de prévention.
3. *ranger* : faire obéir.
4. *nous faisons contre eux* : nous agissons contre leur intérêt.

HORACE
Ah! traître!

CHRYSALDE
Si son cœur a quelque répugnance,
1685 Je tiens qu'on ne doit pas lui faire violence.
Mon frère, que je crois[1], sera de mon avis.

ARNOLPHE
Quoi? se laissera-t-il gouverner par son fils?
Est-ce que vous voulez qu'un père ait la mollesse
De ne savoir pas faire obéir la jeunesse?
1690 Il serait beau, vraiment, qu'on le vît aujourd'hui
Prendre loi de qui doit la recevoir de lui!
Non, non : c'est mon intime, et sa gloire est la mienne :
Sa parole est donnée, il faut qu'il la maintienne,
Qu'il fasse voir ici de fermes sentiments,
1695 Et force[2] de son fils tous les attachements.

ORONTE
C'est parler comme il faut, et, dans cette alliance,
C'est moi qui vous réponds de son obéissance.

CHRYSALDE, *à Arnolphe*
Je suis surpris, pour moi, du grand empressement
Que vous me faites voir pour cet engagement,
1700 Et ne puis deviner quel motif vous inspire...

ARNOLPHE
Je sais ce que je fais, et dis ce qu'il faut dire.

ORONTE
Oui, oui, Seigneur Arnolphe, il est...

CHRYSALDE
Ce nom l'aigrit;
C'est Monsieur de la Souche, on vous l'a déjà dit.

ARNOLPHE
Il n'importe.

HORACE
Qu'entends-je?

1. *que je crois* : à ce que je crois.
2. *force* : rompe.

ARNOLPHE, *se retournant vers Horace*

Oui, c'est là le mystère,

1705 Et vous pouvez juger ce que je devais faire.

HORACE

En quel trouble...

SCÈNE 8. GEORGETTE, ENRIQUE, ORONTE, CHRYSALDE, HORACE, ARNOLPHE

GEORGETTE

Monsieur, si vous n'êtes auprès,
Nous aurons de la peine à retenir Agnès ;
Elle veut à tous coups s'échapper, et peut-être
Qu'elle se pourrait bien jeter par la fenêtre.

ARNOLPHE

1710 Faites-la-moi venir ; aussi bien de ce pas
Prétends-je l'emmener ; ne vous en fâchez pas[1] :
Un bonheur continu rendrait l'homme superbe[2],
Et chacun a son tour, comme dit le proverbe.

HORACE

Quels maux peuvent, ô Ciel, égaler mes ennuis• !
1715 Et s'est-on jamais vu dans l'abîme où je suis !

ARNOLPHE, *à Oronte*

Pressez vite le jour de la cérémonie :
J'y prends part, et déjà moi-même je m'en prie[3].

ORONTE

C'est bien notre dessein.

1. *ne vous en fâchez-pas* : Arnolphe s'adresse à Horace.
2. *superbe* : orgueilleux.
3. *je m'en prie* : je m'y invite.

SCÈNE 9. AGNÈS, ALAIN, GEORGETTE, ORONTE, ENRIQUE, ARNOLPHE, HORACE, CHRYSALDE

ARNOLPHE

Venez, belle, venez,
Qu'on ne saurait tenir, et qui vous mutinez.
1720 Voici votre galant, à qui, pour récompense
Vous pouvez faire une humble et douce révérence.
Adieu. L'événement trompe un peu vos souhaits;
Mais tous les amoureux ne sont pas satisfaits.

AGNÈS

Me laissez-vous, Horace, emmener de la sorte?

HORACE

1725 Je ne sais où j'en suis, tant ma douleur est forte.

ARNOLPHE

Allons, causeuse, allons.

AGNÈS

Je veux rester ici.

ORONTE

Dites-nous ce que c'est que ce mystère-ci.
Nous nous regardons tous sans le pouvoir comprendre.

ARNOLPHE

Avec plus de loisir je pourrai vous l'apprendre.
1730 Jusqu'au revoir.

ORONTE

Où donc prétendez-vous aller?
Vous ne nous parlez point comme il nous faut parler.

ARNOLPHE

Je vous ai conseillé, malgré tout son murmure,
D'achever l'hyménée.

ORONTE

Oui. Mais pour le conclure,
Si l'on vous a dit tout, ne vous a-t-on pas dit
1735 Que vous avez chez vous celle dont il s'agit,
La fille qu'autrefois de l'aimable Angélique,
Sous des liens secrets, eut le seigneur Enrique?
Sur quoi votre discours était-il donc fondé?

CHRYSALDE
Je m'étonnais aussi de voir son procédé•.

ARNOLPHE
Quoi?...

CHRYSALDE
D'un hymen secret ma sœur eut une fille,
Dont on cacha le sort à toute la famille.

ORONTE
Et qui sous de feints noms, pour ne rien découvrir,
Par son époux aux champs fut donnée à nourrir•.

CHRYSALDE
Et dans ce temps, le sort, lui déclarant la guerre,
1745 L'obligea de sortir de sa natale terre.

ORONTE
Et d'aller essuyer mille périls divers
Dans ces lieux séparés de nous par tant de mers.

CHRYSALDE
Où ses soins ont gagné ce que dans sa patrie
Avaient pu lui ravir l'imposture et l'envie.

ORONTE
1750 Et de retour en France, il a cherché d'abord•
Celle à qui de sa fille il confia le sort.

CHRYSALDE
Et cette paysanne a dit avec franchise
Qu'en vos mains à quatre ans elle l'avait remise.

ORONTE
Et qu'elle l'avait fait sur votre charité,
1755 Par un accablement d'extrême pauvreté.

CHRYSALDE
Et lui, plein de transport• et l'allégresse en l'âme,
A fait jusqu'en ces lieux conduire cette femme.

ORONTE
Et vous allez enfin la voir venir ici
Pour rendre aux yeux de tous ce mystère éclairci.

CHRYSALDE
1760 Je devine à peu près quel est votre supplice;
Mais le sort en cela ne vous est que propice :
Si n'être point cocu vous semble un si grand bien,

Ne vous point marier en est le vrai moyen.

ARNOLPHE, *s'en allant tout transporté et ne pouvant parler*
Oh![1]

ORONTE
D'où vient qu'il s'enfuit sans rien dire?

HORACE
Ah! mon père,
1765 Vous saurez pleinement ce surprenant mystère.
Le hasard en ces lieux avait exécuté
Ce que votre sagesse avait prémédité :
J'étais par les doux nœuds d'une ardeur mutuelle
Engagé de parole avecque cette belle;
1770 Et c'est elle, en un mot, que vous venez chercher,
Et pour qui mon refus a pensé[2] vous fâcher.

ENRIQUE
Je n'en ai point douté d'abord que• je l'ai vue,
Et mon âme depuis n'a cessé d'être émue.
Ah! ma fille, je cède à des transports si doux.

CHRYSALDE
1775 J'en ferais de bon cœur, mon frère, autant que vous,
Mais ces lieux et cela ne s'accommodent guères,
Allons dans la maison débrouiller ces mystères,
Payer à notre ami ses soins officieux[3],
Et rendre grâce au Ciel qui fait tout pour le mieux.

1. *Oh!* : texte de toutes les éditions, jusqu'à celle de 1734 qui remplace cette interjection par « Ouf! », suivant l'usage adopté à la scène dès les premières représentations ainsi qu'en témoignent les commentaires du moment. À noter que « Ouf! », au XVIIe siècle, n'exprime pas le soulagement mais la douleur (cf. v. 393 et 572).
2. *a pensé* : a failli.
3. *officieux* : secourables.

Questions

Compréhension

1. *Pourquoi Horace revient-il vers Arnolphe? Connaît-il le nom de la fille d'Enrique? Que peut deviner le public?*

2. *Quelles pensées l'assentiment apparent d'Arnolphe cache-t-il?*

3. *Quand Oronte, père d'Horace, arrive avec Enrique, que fait Arnolphe? Pourquoi Chrysalde peut-il s'étonner de l'empressement d'Arnolphe à soutenir le choix d'Oronte (v. 1698-1700)?*

4. *Que découvre Horace sur Arnolphe (v. 1702-1706)? Que s'imagine celui-ci? Que s'apprête-t-il à faire (v. 1710-1726)?*

5. *Quel coup de théâtre se produit alors? Sur qui l'attention est-elle fixée (v. 1733-1764)? Quel est le sens du « Oh » d'Arnolphe (v. 1764)?*

6. *Sur quelle note l'action se termine-t-elle?*

Écriture

7. *Étudiez les dernières paroles de Chrysalde à Arnolphe, vers 1760-1763.*

Mise en scène

8. *Dans sa mise en scène (1936), Louis Jouvet faisait entrer Enrique dans une chaise portée par quatre Indiens. Quel aspect du dénouement cela était-il propre à souligner?*

Bilan

L'action

• Les dernières péripéties

Sous les coups de bâton, Horace est tombé du balcon d'Agnès. Arnolphe le croit même mort, lorsqu'il reparaît, intact : il est tombé sans mal mais a fait le mort; Agnès — Arnolphe l'ignorait — l'a rejoint et s'est enfuie avec lui; il vient maintenant la confier à son ami en attendant d'affronter son père.

Ainsi servi par la fortune, Arnolphe s'emporte contre la fugitive, qui lui tient tête, puis en vient à la supplier de l'aimer en lui promettant d'être un mari complaisant. En vain. Agnès retournera donc au couvent. Horace surgit à nouveau pour solliciter Arnolphe de plaider sa cause auprès de son père : Oronte arrive en effet pour le marier à la fille d'Enrique. Arnolphe trahit une seconde fois sa confiance en approuvant le projet de son père, mais on découvre qu'Agnès est la fille d'Enrique. Arnolphe disparaît. Agnès épousera Horace.

Les personnages

• **Arnolphe** *est le jouet non seulement du sort mais d'une passion douloureuse qui l'humilie et le ridiculise.*

• **Agnès,** *à l'école de l'amour, est devenue elle-même avec toute la force de sa spontanéité.*

• **Horace,** *servi par la fortune plus que par son adresse, est récompensé de son amour.*

• **Enrique** *et* **Oronte** *sont des pères de comédie dont les décisions servent par chance le bonheur des amants.*

Le plaisir du jeu

Toute l'action sollicite la complicité amusée du public pour les péripéties de l'intrigue, le développement des caractères et le dénouement de la fable.

DATES	ÉVÉNEMENTS HISTORIQUES	VIE ET ŒUVRE DE MOLIÈRE
1610 1618	Règne de Louis XIII. Début de la guerre de Trente Ans.	
1622	Richelieu cardinal.	**Naissance** de Jean-Baptiste Poquelin (futur Molière) à Paris (15 janvier). Son père est tapissier du roi.
1629	Fondation de la Compagnie du Saint-Sacrement.	
1633		**Études** au Collège de Clermont (Jésuites) ; puis droit à Orléans. Molière fréquente les milieux libertins.
1634		
1635	La France entre dans la guerre de Trente Ans.	
1642	Début de la guerre civile anglaise. Mort de Richelieu.	**L'appel du théâtre.**
1643	Mort de Louis XIII. Régence d'Anne d'Autriche et gouvernement de Mazarin.	Molière fonde avec Madeleine Béjart l'Illustre-Théâtre.
1645		**Molière en province** Molière et sa troupe dans le Midi (Guyenne, Languedoc).
1648	La Fronde (→ 1652).	

ÉCRIVAINS-LITTÉRATURE	VIE CULTURELLE	DATES
H. d'Urfé, *L'Astrée*		1610
Tirso de Molina écrit *L'Abuseur de Séville*	Invention du microscope.	1620
Naissance de La Fontaine.		1621
Naissance de Pascal. Sorel, *Histoire comique de Francion.*	Théophile de Viau brûlé en effigie.	1623
Corneille, *Mélite.*	Galilée, *Les lois du mouvement des astres.*	1629
Publication de *L'Abuseur de Séville.*		1630
Renaudot fonde *La Gazette.*		1631
	Galilée, *Dialogues sur les deux principaux systèmes du Monde.*	1632
	Condamnation de Galilée.	1633
Corneille, *La Place royale.*		1634
Fondation de l'Académie française.	L'*Académia parisiensis*, première ébauche de l'Académie des Sciences.	1635
Corneille, *Le Cid.*		1636
Descartes, *Discours de la Méthode.*		1637
Naissance de Racine.		1639
Corneille, *Horace.*	L'*Augustinus* de Jansénius.	1640
Corneille, *Cinna, Polyeucte.*	Mort de Galilée.	1642
	Arrivée à Paris de Lulli.	1643
Naissance de La Bruyère.	Gassendi au Collège de France.	1645
	Académie royale de peinture et sculpture.	1648
Mort de Descartes.		1650
	Pascal, Invention de la machine arithmétique.	1651

DATES	ÉVÉNEMENTS HISTORIQUES	VIE ET ŒUVRE DE MOLIÈRE
1654 1655 1656	Sacre de Louis XIV.	 À Lyon. *L'Étourdi.* À Béziers, *Le Dépit amoureux.*
1658	Mort de Cromwell.	**Molière à Paris** : rentrée à Paris, la troupe, devenue Troupe de Monsieur, s'installe au Petit-Bourbon où elle joue en alternance avec les Comédiens italiens.
1659	Paix des Pyrénées.	*Les Précieuses ridicules.*
1660	Louis XIV épouse Marie-Thérèse d'Autriche.	*Sganarelle ou le Cocu imaginaire.*
1661	Mort de Mazarin. Règne personnel de Louis XIV. Arrestation de Fouquet.	Salle du Palais-Royal. *Don Garcie. L'École des maris.* *Les Fâcheux.*
1662	Colbert ministre. Mlle de la Vallière favorite.	Mariage avec Armande Béjart. *L'École des femmes.*
1663		*La Critique de l'École des femmes. L'Impromptu de Versailles.* Lutte contre la « cabale ».
1664	Condamnation de Fouquet.	Interdiction du *Tartuffe*.
1665	Peste de Londres.	*Dom Juan*. La troupe devient Troupe du Roi.
1666	Mort d'Anne d'Autriche.	*Le Misanthrope.* *Le Médecin malgré lui.*
1667	Mme de Montespan favorite.	
1668	Traité d'Aix-la-Chapelle.	*Amphitryon. George Dandin.* *L'Avare.*
1669		*Monsieur de Pourceaugnac.* *Tartuffe* autorisé.
1670	Mort de Madame.	**Les dernières années.** *Le Bourgeois gentilhomme.*
1671		*Psyché.* *Les Fourberies de Scapin.* *La Comtesse d'Escarbagnas.*
1672	Guerre de Hollande.	*Les Femmes savantes.*
1673	Prise de Maestricht.	*Le Malade imaginaire.* (17 février) mort de Molière.

ÉCRIVAINS-LITTÉRATURE	VIE CULTURELLE	DATES
Mlle de Scudéry, *Clélie*.		1654
Scarron, *La Précaution inutile*.		1655
Pascal, *Provinciales*.	Spinoza commence son œuvre philosophique.	1656
Dorimond, *Le Festin de Pierre*.		1658
Villiers, *Le Festin de Pierre*.		1659
	Mort de Vélasquez.	1660
	Début des travaux de Versailles (Le Vau).	1661
Mort de Pascal.	Fondation des Gobelins.	1662
	Le Nôtre dessine le parc de Versailles. Descartes condamné par la Sorbonne.	1663
La Fontaine, *Contes et Nouvelles*. Racine, *La Thébaïde*.	Fête des *Plaisirs de l'île enchantée* à Versailles.	1664
La Rochefoucauld, *Maximes*.	Mort du peintre Poussin.	1665
Boileau, *Satires*.	Newton, premiers résultats fondamentaux du calcul différentiel.	1666
Racine, *Andromaque*.	L'Observatoire de Paris.	1667
Racine, *Les Plaideurs*. La Fontaine, *Fables* (I-VI).		1668
Racine, *Britannicus*.	Mort de Rembrandt.	1669
Pascal, *Pensées* (édition de Port-Royal). Racine, *Bérénice*.		1670
Début de la correspondance de Mme de Sévigné avec sa fille.	Début de la construction des Invalides.	1671
Racine, *Bajazet*.		1672
Racine, *Mithridate*.	Premier opéra de Lulli.	1673

LES TROUPES EN CONCURRENCE

Plusieurs troupes de comédiens sont installées à Paris.
Le succès de *L'École des Femmes* va exaspérer la rivalité qui oppose la plus ancienne, celle des « Grands Comédiens » de l'Hôtel de Bourgogne, spécialisée dans la tragédie, et la dernière venue, celle de Molière, qui, arrivée de province en 1658, a conquis, en renouvelant la comédie, une place de premier plan. (Cf. La querelle de *L'École des femmes*, pp. 5 et 139).
La troupe du Marais, ancienne également, vient de se lancer dans les pièces à grand spectacle, les « pièces à machines », et reste en marge de cette rivalité. C'est aussi le cas des Comédiens italiens, présents de manière intermittente en France, qui jouent en italien selon la tradition de la *commedia dell'arte* qui fait plus de place aux *lazzi* (mimes bouffons) qu'au texte.
Il n'y a pas encore de salle réservée à l'opéra qui en est à ses débuts. Le musicien et compositeur Lulli, qui collaborera avec Molière à partir de 1664 pour les ballets de cour et les fêtes de Versailles, recevra son privilège pour les spectacles lyriques en 1673.

LA TROUPE DE MOLIÈRE

Molière partage avec les Italiens la salle du Palais-Royal. Comme les Grands Comédiens et ceux du Marais, il joue les jours « ordinaires », le mardi, le vendredi et le dimanche. Sa troupe comporte une douzaine de comédiens. Parmi eux, Madeleine Béjart, l'amie de toujours, tragédienne réputée, jouant aussi la comédie ; Armande Béjart, au théâtre Mlle Molière depuis son mariage, en février 1662, avec Molière (elle fera ses débuts dans *La Critique de l'École des femmes* en 1663) ; Mlle de Brie qui, à 33 ans, tient le rôle d'Agnès ; Lagrange, comédien de 28 ans, disciple favori, qui joue Horace tandis que Molière joue Arnolphe.

LES RESSOURCES DES COMÉDIENS

Une place de loge se paie un louis, une place sur la scène un demi-louis, une place debout au parterre quinze sols. La première de *L'École des femmes* a rapporté 1 518 livres. Les troupes jouent également en « visite » chez les grands seigneurs et chez le roi. Elle reçoivent aussi des subventions. Troupe de Monsieur (sans pension), celle de Molière recevra en 1665 le titre de troupe du Roi avec 7 000 livres. Ce sera une consécration matérielle et morale.

COSTUME D'ARNOLPHE

LES SOURCES IMMÉDIATES DE MOLIÈRE

Molière a souvent puisé des sujets et des ressorts comiques dans la tradition du conte et de la farce. C'est encore le cas pour *L'École des femmes* où sont associés trois thèmes classiques :
- celui de la précaution inutile qui ne garantit pas du cocuage ;
- celui du railleur qui encourage les entreprises galantes d'un jeune séducteur et se trouve être sa première victime ;
- celui de l'étourdi, trop bavard par vantardise, qui conte ses succès au mari trompé.

À la création de la pièce, les contemporains ont reconnu sans peine certaines de ses sources immédiates.

La Précaution inutile de Scarron

•

La principale source, d'où vient l'idée de la situation d'Arnolphe vis-à-vis d'Agnès, est *La Précaution inutile*, une nouvelle publiée en 1655 par l'auteur comique Paul Scarron (1610-1660). Ce dernier, qui a mis le burlesque à la mode et qui est bon connaisseur de la littérature espagnole, a tiré son récit d'une nouvelle de Doña María de Zayas (1590-1661).

Un gentilhomme de Grenade, Dom Pedre, qui est jeune, beau et riche, doit épouser Séraphine, une jeune fille de bonne maison. Cependant Séraphine invoque sa santé pour retarder leur mariage. Un jour il l'aperçoit entrant dans une maison en ruines, la suit et la voit mettre au monde une petite créature qu'elle abandonne. C'est une petite fille que Dom Pedre recueille et fait placer dans un couvent dès l'âge de trois ans avec ordre qu'elle n'ait « aucune connaissance des choses du monde ».

Dégoûté du mariage, Dom Pedre quitte Grenade. « Toutes les femmes lui font peur, (...) il conclut en lui-même qu'il s'en faut toujours défier, et plus encore des spirituelles que des sottes, étant dans l'opinion de ceux qui croient qu'une femme sait plus qu'elle ne doit quand elle sait plus que le ménage de sa maison et l'éducation de ses enfants. » Il voyage en Espagne et en Italie où de nouvelles mésaventures galantes le confirment dans ses principes. Une duchesse tente de lui en démontrer la fausseté, mais la façon dont elle trompe son mari le fortifie dans sa résolution de ne jamais prendre femme ou de la prendre sotte.

Il rentre à Grenade. Laure, la fille de Séraphine, a seize ou dix-sept ans. Elle est belle et ignorante. Il « admire son innocence » et décide de l'épouser. Après la cérémonie du mariage, il sermonne Laure sur ses devoirs, puis lui fait revêtir une armure en lui ordonnant de veiller sur son sommeil. Il ne se passe rien d'autre pendant leur nuit de noces ni dans les suivantes.

Là-dessus, Dom Pedre doit se rendre à la cour. En l'absence de son mari, Laure revêt son armure chaque soir mais, avec la même naïveté, sur les instances d'une entremetteuse introduite par ses servantes, elle ouvre sa porte à un galant. Quand Dom Pedre revient, Laure l'accueille avec joie et lui explique ce qu'« un autre mari » lui a enseigné. Dom Pedre songe aux avis de la duchesse, se repent de son erreur et surveille sa femme. La leçon de l'histoire est « qu'une spirituelle peut être une honnête femme d'elle-même, et qu'une sotte ne le peut être sans les secours d'autrui, et sans être bien conduite ».

Les Facétieuses nuits de Straparole

•

L'autre source immédiate de Molière, où il a pris l'idée des confidences d'Horace à Arnolphe et de la vaine lutte de celui-ci, est un recueil de contes traduits de l'italien dès 1560 et souvent réédité, *Les Facétieuses nuits* de Straparole (vers 1480-apr. 1557), un imitateur du *Décaméron* de Boccace (1313-1375).

Histoire de Nérin et de maître Raymond (Livre Ier, 4e nuit, 4e fable)

À Padoue où il est venu étudier, Nérin, fils du roi du Portugal, fait la connaissance de maître Raymond. Au cours d'une conversation sur les femmes, Nérin affirme que sa mère et sa nourrice sont les plus belles femmes du monde. Maître Raymond est piqué car il est fier de la beauté de sa femme. Il la montre à Nérin de loin, à l'église, sans lui préciser qu'elle est sa femme. Nérin entreprend de séduire cette beauté et fait confidence de ses succès à maître Raymond. Celui-ci cherche à surprendre Nérin sans jamais y parvenir. Il apprend toujours trop tard comment Jeanneton a caché son amant tantôt dans son lit, tantôt dans un coffre, tantôt dans une armoire. Pour finir Nérin enlève Jeanneton et maître Raymond meurt de chagrin.

Lecture complémentaire : La Fontaine, *Contes et Nouvelles* (1665-1671), 3e partie, « Le Roi Candaule et le maître en droit ». Thème : « Force gens ont été l'instrument de leur mal ». L'histoire du maître en droit ressemble beaucoup à celle de maître Raymond.

LE THÈME DU COCUAGE CHEZ MOLIÈRE

•

L'École des femmes prend également appui sur l'œuvre antérieure de Molière qui a déjà exploité le thème du cocuage.

La Jalousie du Barbouillé (date inconnue) est une simple farce inspirée d'un conte de Boccace (*Décaméron*, 7e journée, 4e nouvelle), ou d'une *commedia dell'arte* tirée de Boccace :

Le Barbouillé refuse de laisser rentrer au logis sa femme Angélique en lui reprochant ses promenades et ses fréquentations. Angélique réussit à l'attirer à l'extérieur et s'enferme à son tour dans la maison.

Molière cessera de la jouer après 1664 mais reprendra le jeu de scène principal dans *George Dandin* (1668).

Sganarelle ou le cocu imaginaire, comédie en deux actes et en alexandrins (1660).

Gorgibus, bourgeois de Paris, veut contraindre sa fille Célie, qui aime Lélie, à épouser Valère, qu'il ne connaît pas mais qu'il juge « très honnête homme » puisqu'il vient d'hériter de « vingt mille bons ducats ». Les premières scènes présentent le problème de la liberté et de l'éducation des filles. La suite relève de la comédie d'intrigue. Célie s'évanouit alors qu'elle considérait le portrait de Lélie. Il s'ensuit une double méprise : de sa fenêtre, la femme de Sganarelle voit celui-ci se pencher sur Célie et l'emporter avec l'aide d'un homme : « Il me trahit sans doute. » Elle ramasse le portrait de Lélie que Célie a laissé tomber : Sganarelle, trouvant ce portrait entre ses mains, s'imagine qu'il est trompé. Il faudra deux actes pour dissiper ces méprises, réconcilier Sganarelle et sa femme et conclure le mariage de Célie et de Lélie.

Molière a joué cette comédie 122 fois, plus souvent que toute autre de ses œuvres. On y rencontre déjà la satire de l'autoritarisme paternel à l'égard des filles (Gorgibus, sc. 1) et l'éloge de la résignation au cocuage (Sganarelle s'exhorte à accepter son infortune (sc. 17) comme Chrysalde y exhorte Arnolphe (*L'École des femmes*, IV, 8).

L'École des maris, comédie en trois actes et en vers (1661) avec laquelle *L'École des femmes* présente des liens thématiques évidents.

Deux frères, Ariste et Sganarelle, élèvent deux orphelines que leur père leur a confiées à sa mort en les chargeant de leur trouver un mari ou de les épouser. Ariste, l'aîné, élève Léonor avec libéralisme et lui permet les divertissements dont sa fortune offre les moyens. Sganarelle, de vingt ans son cadet, est au contraire un homme d'humeur sévère, attaché aux vieilles mœurs et à la rigueur dans l'éducation des filles. Aussi retient-il Isabelle au logis, afin, puisqu'il doit l'épouser, de ne point porter de cornes. Mais Sganarelle va être dupé par Isabelle qui l'utilise comme messager de son amour auprès de Valère, sous couleur de faire savoir à celui-ci qu'il l'importune. Sganarelle prépare ainsi l'enlèvement d'Isabelle en croyant qu'il s'agit de celui de Léonor. Au moment où il croit démontrer l'échec d'Ariste, c'est le sien qu'il rend public. Isabelle épousera Valère, et Léonor épousera Ariste. Le titre de la comédie est justifié par le commentaire de la suivante Lisette :

> *« Vous, si vous connaissez des maris loups-garous,*
> *Envoyez-les au moins à l'école chez nous. »*

La ruse d'Isabelle rappelle une nouvelle du *Décaméron* (3e journée, 3e nouvelle) où la femme d'un marchand utilise un religieux à son insu pour attirer l'attention d'un patricien sur elle. Le comédien Dorimond, auteur de *La Femme industrieuse* (1661), semble avoir imité Boccace et pourrait avoir inspiré Molière.

Lecture recommandée : *Sganarelle ou le cocu imaginaire* ; *L'École des maris* (Molière, *Œuvres complètes*, Bibl. de la Pléiade, I).

AU XVIIe SIÈCLE

La querelle de L'École des femmes

•

Le succès de *L'École des femmes* provoque immédiatement de vives critiques. Il est de bon ton de « fronder » la pièce ; mondains, journalistes littéraires, comédiens rivaux, dévots s'y emploient. La « querelle de *L'École des femmes* » se poursuivra jusqu'en 1664 et aura des prolongements dans la polémique suscitée par *Tartuffe* (mai 1664), puis *Dom Juan* (1665).
Molière a répondu par deux petites comédies, *La Critique de l'École des femmes* (1er juin 1663) et *L'Impromptu de Versailles* (18 ou 19 octobre 1663).

Les griefs contre la pièce sont de quatre sortes :
- plagiat et manque d'originalité ;
- invraisemblances (lieu de l'action, répétition des confidences d'Horace, faire lancer un grès — un pavé — à Agnès, faire écrire une lettre aussi subtile à une sotte, jeu comique outré de Molière) ;
- offenses au bon goût et aux bienséances (« tarte à la crème », « enfants (...) par l'oreille », « puces », « la femme... potage de l'homme », équivoque du « le » ;
- offense aux « saints mystères » de la religion (sermon d'Arnolphe à Agnès).

On reconnaît cependant le succès de Molière et la grande qualité technique de la mise en scène.

Quelques extraits significatifs

Donneau de Visé, auteur de la première étude consacrée à Molière, sous forme de dialogue, y donne dès le mois de février 1663, un précieux témoignage sur l'accueil rencontré par *L'École des femmes* :

> *Cette pièce a produit des effets tout nouveaux, tout le monde l'a trouvée méchante[1], et tout le monde y a couru. Les dames l'ont blâmée, et l'ont été voir : elle a réussi sans avoir plu, et elle a plu à plusieurs qui ne l'ont pas trouvée bonne ; mais pour vous en dire mon sentiment, c'est le sujet le plus mal conduit qui fût jamais, et je suis prêt à soutenir qu'il n'y a point de scène où l'on ne puisse faire voir une infinité de fautes.*
> *Je suis toutefois obligé d'avouer, pour rendre justice à ce que son auteur a de mérite, que cette pièce est un monstre qui a de belles parties, et que jamais l'on ne vit tant de si bonnes, et de si méchantes choses ensemble. Il y en a de si naturelles, qu'il semble que la nature ait elle-même travaillé à les faire. Il y a des endroits qui sont inimitables, et qui sont si bien exprimés, que je manque de termes assez forts et assez significatifs pour vous les bien faire concevoir. Il n'y a personne au monde qui les pût si bien exprimer, à moins*

qu'il n'eût son génie, quand il serait un siècle à les tourner : ce sont des portraits de la nature qui peuvent passer pour originaux. Il semble qu'elle y parle elle-même. Ces endroits ne se rencontrent pas seulement dans ce que joue Agnès ; mais dans les rôles de tous ceux qui jouent à cette pièce. Jamais comédie ne fut si bien représentée, ni avec tant d'art, chaque acteur sait combien il y doit faire de pas, et toutes ses œillades sont comptées.

Donneau de Visé, *Nouvelles nouvelles*, 3e partie, 1663.

1. *méchante* : mauvaise.

En réponse à *La Critique de L'École des femmes*, Donneau de Visé écrit une petite comédie, *Zélinde ou la véritable critique de L'École des femmes* (non jouée probablement, publiée en juillet 1663). C'est une conversation chez un marchand de dentelle de la rue Saint-Denis habitué des théâtres. Zélinde est une femme savante qui raille Molière (Élomire).

ZÉLINDE. *(À Aristide.) Mais, Monsieur, j'ai bien encore un autre sujet. Si vous vouliez, tout de bon, jouer Élomire, il faudrait dépeindre un homme qui eût dans son habillement quelque chose d'Arlequin, de Scaramouche, du Docteur, et de Trivelin*[1], *que Scaramouche*[2] *lui vînt redemander ses démarches, sa barbe, et ses grimaces ; et que les autres lui vinssent, en même temps, demander ce qu'il prend d'eux dans son jeu, et dans ses habits. Après cela il les faudrait faire revenir tous, demander ensemble ce qu'il a pris dans leurs comédies. Dans une autre scène, l'on pourrait faire venir tous les auteurs, et tous les vieux bouquins, où il a pris ce qu'il y a de plus beau dans ses pièces. L'on pourrait ensuite faire paraître tous les gens de qualité qui lui ont donné des mémoires, et tous ceux qu'il a copiés. (...)*

ARISTIDE. *Mais, Madame, croyez-vous qu'il n'ait pas autant de mérite que de bonheur ?*

ZÉLINDE. *S'il a du mérite, ce n'est pas pour ce qui regarde la comédie, et il ne doit tous ces grands succès qu'à son bonheur. N'est-ce pas être heureux que de prendre hardiment partout, sans qu'on s'en aperçoive ? N'est-ce pas être heureux que de faire valoir ses pièces soi-même ? N'est-ce pas être heureux que de représenter toujours les mêmes choses, sans que l'on s'en lasse ? Et n'est-ce pas enfin être heureux que d'avoir rencontré un siècle où l'on ne se plaît qu'à entendre des satires.*

Donneau de Visé, *Zélinde ou la véritable critique de l'École des femmes*, 1663, sc. 8.

1. Personnages de la *commedia dell'arte* qu'on voit alors sur la scène du Palais-Royal que Molière partage avec les Italiens. Le valet Arlequin est joué par Biancolelli dans *Le Festin de Pierre* (cf. *Dom Juan*, Classiques Hachette, p. 119). Scaramouche est à l'origine un fanfaron. Trivelin est un valet fourbe.
2. C'est sous ce nom qu'est connu l'acteur Tiberio Fiorilli, célèbre mime, qui passe pour avoir influencé Molière.

Boursault, un jeune auteur de 25 ans comme Donneau de Visé, écrit à son tour une petite comédie hostile à Molière, *Le Portrait du peintre* (représentée à l'Hôtel de Bourgogne en septembre ou octobre 1663). Dans un salon, Amarante s'en prend au sermon d'Arnolphe.

AMARANTE. *Outre qu'un satirique est un homme suspect,*
Au seul mot de sermon nous devons du respect.
C'est une vérité qu'on ne peut contredire.
Un sermon touche l'âme et jamais ne fait rire.
De qui croit le contraire on se doit défier,
Et qui veut qu'on en rie en a ri le premier.

Robinet, un journaliste, dans le *Panégyrique de l'École des femmes* (imprimé en novembre 1663), encore une petite comédie, ramasse en un débat contradictoire l'ensemble des thèmes de la querelle. Il soulève aussi une question promise à un bel avenir, celle de la violence de l'amour d'Arnolphe et de son prétendu tragique :

> *Je pourrais ajouter que cette* École *est non seulement contre toutes les règles du dramatique, mais contre celles du comique : le héros y montrant presque toujours un amour qui passe jusqu'à la fureur, et le porte à demander à Agnès si elle veut qu'il se tue, ce qui n'est propre que dans la tragédie, à laquelle on réserve les plaintes, les pleurs et les gémissements. Ainsi, au lieu que la comédie doit finir par quelque chose de gai, celle-ci finit par le désespoir d'un amant qui se retire avec un* Ouf ! *par lequel il tâche d'exhaler la douleur qui l'étouffe : de manière qu'on ne sait si l'on doit rire ou pleurer.*

AU XVIIIe SIÈCLE

L'École des femmes reste au répertoire du Théâtre-Français, mais elle est peu jouée. Et les comédiens jouent Arnolphe « autrement que Molière » : « non pas "l'extravagant", mais le barbon peu ragoûtant » (Maurice Descotes, *Les Grands rôles du théâtre de Molière*, p. 28).

AU XIXe SIÈCLE

Effets du Romantisme

●

La sensibilité romantique fait qu'on se met à chercher de la gravité et même du tragique chez Molière. Dans sa conception du théâtre, Hugo l'associe à Shakespeare :

> *Au théâtre, c'est le cri surtout que nous voulons entendre. Cri humain et profond qui émeut une foule comme une seule âme ; douloureux dans Molière quand il se fait jour à travers les rires, terrible dans Shakespeare quand il sort du milieu des catastrophes.*
>
> *Réponse au discours de M. Sainte-Beuve pour sa réception à l'Académie française*, 1846.

On se plaît à expliquer ses grandes comédies par les épreuves de sa vie personnelle. Chateaubriand et Musset parlent l'un et l'autre de la « profondeur » et de la « tristesse » de son comique, le second dans des vers célèbres à propos du *Misanthrope* :

> *Quel grand et vrai savoir des choses de ce monde,*
> *Quelle mâle gaieté, si triste et si profonde*
> *Que lorsqu'on vient d'en rire on devrait en pleurer !*
>
> Alfred de Musset « Une soirée perdue », *Poésies nouvelles*, 1840.

Arnolphe tragique ?

•

Arnolphe bénéficie d'une sympathie nouvelle à la faveur de la vision romantique de l'amour fatal, comme en témoigne le dandy Maxime de Trailles dans le roman de Balzac *Béatrix* (1839) (cf. *L'amour dans l'École des femmes*, p. 160).
Un acteur passé du théâtre des Boulevards et du mélodrame au Théâtre-Français, Provost, tire Arnolphe vers le sombre et le pathétique. Théophile Gautier l'en approuve et pose en cette occasion le problème de la relecture des grands classiques.

> *Le public a senti à merveille la nuance délicate ; il a trouvé presque pathétique ce qui lui avait toujours semblé grotesque, et peu s'en est fallu qu'on ne pleurât à la scène de jalousie ; des applaudissements nombreux et deux rappels ont prouvé à Provost qu'on lui savait gré de cette interprétation nouvelle et prise au cœur même du sujet.*
> *C'est par de semblables compositions de rôle et non par les* rengaines *sempiternelles d'une prétendue tradition qui s'altère de jour en jour, qu'on parviendra à redonner de l'intérêt au vieux répertoire.*
> *Il ne faut pas craindre le reproche de chercher des finesses après coup et de vouloir mettre des intentions là où il n'y en a jamais eu. Une époque n'a pas le sens complet d'elle-même, par la raison que son cycle n'est pas fermé, et, pour voir une bataille, il faut être, non pas dans la mêlée, mais sur le haut d'une colline, à quelque distance.*
> *Nous pouvons, à l'heure qu'il est, découvrir dans Molière des sens qui y sont et auxquels il n'avait pas songé ; la note secrète, l'aveu involontaire, la confession que le poète fait de son âme dans les sujets les plus impersonnels et qui se prêtent le moins à ces épanchements, toutes choses inaperçues des contemporains, prennent un relief singulier dans la perspective des siècles.*
>
> Théophile Gautier, article écrit en décembre 1848, paru dans *Histoire de l'art dramatique en France*, Paris, 1859.

Devenu professeur au Conservatoire, Provost impose cette conception qui devient la nouvelle tradition (cf. Maurice Descotes, *Les Grands rôles du théâtre de Molière*, pp. 28-31).

Le comédien Constant Coquelin proteste contre cette lecture de *L'École des femmes* :

> *Mais pourquoi, dira-t-on, tenez-vous tant à prouver que Molière ne s'est pas mis en scène dans ce ridicule Arnolphe, qu'il nous représente si gaîment berné par sa pupille, une innocente, et par ses valets, deux imbéciles ? Pourquoi j'y tiens ? Mais parce que cette idée si fausse, et certes si peu avantageuse à Molière, en a engendré une autre non moins incongrue : à savoir que ce rôle d'Arnolphe est un rôle tragique et qu'Arnolphe, c'est-à-dire Molière, doit nous faire pleurer au cinquième acte.*
> *(...) On proposa à Talma de prendre le rôle ; il l'étudia et le rendit, disant que dans cette fameuse scène du cinquième acte, quand même on pourrait tourner le reste au tragique, il y aura toujours une indication qui l'empêcherait, lui, de comprendre ainsi Arnolphe ; c'était le vers : « Veux-tu que je m'arrache un côté de cheveux ? » Et il avait raison. Ce vers est un trait de génie comique. Je vous défie de le prendre sur le ton noble.*
>
> Constant Coquelin, « L'Arnolphe de Molière », *Revue des Deux Mondes*, 15 avril 1882, pp. 890-891.

Débats d'interprétation

•

À partir de 1860, la connaissance historique de Molière et de son œuvre se développe, nourrissant les débats : Molière est-il un amuseur ou un penseur ? Écrit-il bien ou mal ?
Le dramaturge Henry Becque (1837-1899) ramène l'attention sur le fonctionnement théâtral du texte, pour mettre en garde contre la tentation de systématiser la pensée de Molière :

> *Molière n'est pas un philosophe : le philosophe, c'est Descartes ; Molière n'est pas un penseur : le penseur, c'est Pascal ; Molière n'est pas un démolisseur comme Voltaire, ni un réformateur comme Rousseau. Qu'est-ce que c'est donc que Molière ? C'est un auteur dramatique. C'est un homme dont l'instinct, dont le génie, dont la fonction est de représenter ses semblables. Ne lui demandez pas des idées ; les idées, il ne les voit qu'à travers les caractères, au moment où elles deviennent excessives et où il va les ridiculiser. Ne lui demandez pas une leçon morale ; il est avec Agnès contre Arnolphe, et cependant Agnès est bien un peu coupable ; il est avec Angélique contre Dandin, et Angélique est tout à fait coupable. Ne lui demandez pas un conseil pratique ; il sait très bien qu'il ne corrigera pas le Misanthrope, ni le Bourgeois gentilhomme, ni le Malade imaginaire ; ces personnes-là ont existé de tout temps et elles existeront toujours. Sa besogne, à lui, est de leur donner une seconde vie, la vie littéraire. Sa besogne est de fixer dans le monde de l'art des caractères qui, sans lui, resteraient disséminés et épars dans la nature. Si vous voulez à toute force trouver un enseignement chez Molière, alors que ce soit un enseignement bien autrement élevé, bien autrement supérieur, celui que l'on retire de toutes les grandes manifestations de l'esprit et de la connaissance désintéressée des choses humaines.*
>
> Henry Becque, *Molière et l'École des femmes*, conférence parue dans *La Revue bleue*, 10 avril 1886.

AU XXᵉ SIÈCLE

Les travaux engagés à la fin du XIXᵉ siècle sur le théâtre de Molière se poursuivent. Antoine Adam, dans son *Histoire de la littérature française au XVIIᵉ siècle* (tome III), et Georges Couton, dans son édition des *Œuvres complètes* de Molière (La Pléiade), en rassemblent, sous une forme accessible, les éléments utiles à l'éclairage de *L'École des femmes*.
Les analyses de Paul Bénichou aident à saisir la position de Molière par rapport à son public et l'usage qu'il peut faire de la satire.

> *Molière fait évidemment cause commune avec les précieuses en soutenant contre cette morale oppressive les revendications féminines. Et il faut bien marquer que les idées d'émancipation dans ce domaine étaient fort peu sympathiques à la bourgeoisie, sans aucun doute plus rétrograde sur ce point que le beau monde. Aussi est-il impossible de faire passer pour une protestation du bon sens bourgeois ce qui chez Molière est la protestation de l'esprit nouveau contre des préjugés et des mœurs spécialement ancrés dans la bourgeoisie. On a cru s'en tirer en écrivant que Molière a toutes les idées d'un bourgeois moyen, sauf qu'il est partisan des libertés féminines et du mariage d'amour. Mais la restriction est trop grave ; elle emporte toute la thèse. En tout cas, c'est bien dans des bourgeois que Molière a incarné la morale qui condamne l'amour et la femme. C'est en eux qu'il l'a combattue. Ce sont eux dont il a fait les victimes de la spontanéité et de la finesse féminines. La morale autoritaire des Sganarelle et des Arnolphe n'est qu'une transposition, aisément reconnaissable, de cet appétit de possession avare et inquiet, dont on faisait le trait distinctif de l'homme sans noblesse. Les maximes des barbons sont rarement sans porter les traces d'une infériorité sociale. Molière, en s'attaquant à l'autorité paternelle et maritale, a plutôt pour lui l'opinion de la cour et des salons. Défendre la galanterie et la dépense, partir en guerre contre le vieux temps, c'était la belle société qui s'en était toujours chargée ; c'était elle qui prétendait civiliser la vie, l'arracher à l'antique rusticité : il fallait pour cela avoir l'esprit libéral, le goût des belles choses.*
>
> Paul Bénichou, *Les Morales du Grand Siècle*, Gallimard, « Bibliothèque des Idées », 1948.

L'École des femmes sur la scène

•

Des mises en scène marquantes viennent relancer le débat sur l'esprit de la pièce et l'interprétation d'Arnolphe.

Lucien Guitry (1924) : ce grand acteur du genre « monstre sacré » tire le rôle vers le dramatique et le réalisme, effaçant le grotesque du personnage : « Le comique jaillit de la situation plutôt que du caractère » (Nozière, *L'Avenir*, 5 octobre 1924) ; beaucoup de critiques dénoncent dans ce numéro personnel une trahison de l'esprit comique de Molière.

Louis Jouvet (1936) : célèbre renouvellement. « Pour moi, *L'École des femmes* est avant tout une farce à l'italienne », déclare Jouvet, qui ajoute : « Moi, ce n'est pas un rôle que je veux jouer, c'est la pièce. » Décor ingénieux et clair, à transformations, de Christian Bérard.

> *La vérité et la vraisemblance naissent de la fantaisie, de la féerie, du conte. Tout le spectacle, résolument idéalisé, dégage une poésie singulière, et, jusqu'ici, cachée.*
> *Jouvet, loin de fausser ou de solliciter Molière, l'a, en quelque sorte, délivré. Voici l'un de ses chefs-d'œuvre débarrassé de sa pétrification, de sa crasse, de sa sépulcrale poussière de bibliothèque et d'école ; et, désormais, aussi près de nous qu'une comédie de Musset ou de Giraudoux. »*
> J.-L. Vaudoyer, *Les Nouvelles littéraires*, 16 mai 1936.

Louis Jouvet (Arnolphe) et Madeleine Ozeray (Agnès) au théâtre de l'Athénée en 1936.

Arnolphe veut épouser Agnès,
... et se découvre un rival

ne pas être cocu

Acte I	sc. 1	sc. 2	sc. 3	sc. 4
Hors scène	Vie recluse d'Agnès dans une maison de M. de la Souche.			Agnès a ouvert sa porte à un galant en l'absence d'Arnolphe.
Sur scène (une place de ville)	Arnolphe explique son plan à son ami Chrysalde. Il se fait appeler désormais M. de la Souche.	Arnolphe vient rendre visite à Agnès.	Arnolphe admire la naïveté d'Agnès.	Arnolphe découvre qu'Horace, le fils d'un ami étranger à la ville, fait la cour à Agnès. Il reste muet de stupeur.
Aides	L'éducation qui a fait d'Agnès une « idiote ».			Horace ignore qu'Arnolphe se fait appeler M. de la Souche.
Obstacles	La peur d'être cocu.	La bêtise d'Alain et de Georgette, ses domestiques.		Un « damoiseau ». Sa propre confusion et son amour-propre.

Arnolphe se croit vainqueur,
et apprend sa défaite

Acte III	sc. 1 et 2	sc. 3
Hors scène	Agnès a bien lancé une pierre à Horace...	
Sur scène	Arnolphe sermonne Agnès et pousse les préparatifs de son mariage.	Arnolphe se réjouit de la réussite de ses plans.
Aides	Soumission silencieuse d'Agnès. Autorité de la coutume et de la religion.	
Obstacles		

ɪrnolphe enquête
·t agit

éloigner Horace
épouser Agnès
ne pas être cocu

ːe II	sc. 1	sc. 2	sc. 3	sc. 4
s ıe	Arnolphe a cherché à rattraper Horace pour le faire parler davantage.		Arnolphe va chercher Agnès.	L'intervention d'une entremetteuse et les visites d'Horace à Agnès.
scène ɛ place ʲille)	Arnolphe décide de cacher à Horace qu'il est M. de la Souche et d'enquêter chez lui.	Il ne tire rien de ses domestiques...	Alain et Georgette jugent Arnolphe en son absence.	Agnès conte tout à Arnolphe sans difficulté : elle aime Horace. Arnolphe lui ordonne de ne plus le recevoir et même de lui lancer un pavé.
ːs	Son autorité de maître.			La naïveté d'Agnès.
ːtacles	Son émotion.	La bêtise d'Alain et de Georgette.		L'amour d'Agnès pour Horace.

éloigner Horace
épouser Agnès
ne pas être cocu

4	sc. 5
ıais une lettre d'amour enveloppait la re.	
olphe accueille Horace d'un air narquois, s celui-ci lui révèle la ruse d'Agnès et lui ettre. Arnolphe dissimule son humiliation à ace.	Arnolphe laisse éclater sa jalousie et son dépit d'être amoureux d'Agnès.
confiance d'Horace qui lui demande son ː.	
ruse d'Agnès. volonté de cacher qu'il est M. de la Souche.	La duplicité d'Agnès. Son amour-propre de railleur misogyne.

Arnolphe rage et tend un piège à Horace

Acte IV	sc. 1	sc. 2-3	sc. 4-5
Hors scène	Visite inutile d'Arnolphe chez Agnès.		
Sur scène	Arnolphe rage et ne sait que faire.	Arnolphe congédie le notaire (mariage remis ?).	Arnolphe mobilise Alain et Georgette.
Aides			
Obstacles	La dissimulation d'Agnès.		

Arnolphe lutte, s'humilie et ruse en vain

Acte V	sc. 1	sc. 2	sc. 3-4-5
Hors scène	Horace est tombé du balcon d'Agnès.	Agnès est gardée par les gens d'Horace.	
Sur scène	Arnolphe croit Horace mort sous les coups de bâton...	... et le voit arriver bien vivant. Agnès s'est enfuie avec lui. Il vient la confier à Arnolphe.	Arnolphe, à nouveau maître d'Agnès, passe des reproches aux supplications. En vain. Agnès retournera au couvent.
Aides		La confiance d'Horace.	L'obscurité.
Obstacles	La bêtise d'Alain et de Georgette.	La fuite d'Agnès.	L'amour d'Agnès et d'Horace.

SCHÉMA NARRATIF

éloigner Horace
épouser Agnès
ne pas être cocu

5	sc. 7	sc. 8	sc. 9
se prépare à accueillir e la nuit.			
ohe rencontre Horace : caché chez Agnès ; il alader son balcon la rochaine.	Arnolphe décide de ne pas céder...	subit avec impatience les avis narquois de Chrysalde...	... arme Alain et Georgette de bâtons pour rosser Horace.
nfidences d'Horace.			
plicité d'Agnès. L'amour ace pour Agnès.			

... mais il perd : Agnès épousera Horace

5	sc. 7-8	sc. 9
e, ami d'Arnolphe, arrive narier son fils Horace à la Enrique.	Enrique a eu une fille d'un mariage secret avec la sœur de Chrysalde.	
ohe promet son aide à e contre son père.	Arnolphe trahit sa parole, avouant son double nom, et veut emmener Agnès.	Arnolphe apprend qu'Agnès est la fille d'Enrique. Il s'enfuit.
nfiance d'Horace. ée d'Oronte, père ace.	Son autorité d'ami d'Oronte et de tuteur d'Agnès.	
ur d'Agnès et d'Horace.	La révolte d'Agnès.	La volonté d'Oronte et d'Enrique.

L'éducation des filles préoccupe encore peu au XVIe et au XVIIe siècle : l'avenir qui leur est assigné est celui d'épouse et de mère, et c'est en fonction de ce rôle que les moralistes traitent du problème de leur éducation, toujours en la distinguant de celle des garçons. On se soucie de la vertu des filles plus que de leurs qualités intellectuelles. Il s'agit, avec l'aide de la religion, de les armer contre la faiblesse de nature qu'on leur prête et contre les tentations du monde. Il n'y a que dans l'utopie de Thélème (*Gargantua*, 1534) que Rabelais ait pu imaginer de mêler les jeunes chevaliers et les « dames » pour les préparer à s'aimer et s'épouser.

CLASSES SOCIALES ET ÉDUCATION

Le problème de l'éducation n'est considéré que pour les filles des classes supérieures. La masse des filles, du monde paysan à celui des artisans et de la petite bourgeoisie, ne connaît que l'éducation de la maison et de l'église. « Personne ne songe à ériger en droit et devoir pour toutes une culture même modeste », écrit Madeleine Lazard à propos du XVIe siècle (M. Lazard, *Images littéraires de la femme à la Renaissance*, PUF, 1985, p. 96).
Pour les filles de la noblesse, on redoute tout ce qui pourrait les détourner de leur devoir traditionnel. À ses filles qui voudraient étudier comme leurs frères, Agrippa d'Aubigné représente que le savoir est bon pour les princesses en raison de leur condition mais « presque toujours inutile aux Demoiselles de moyenne condition », et même dangereux en leur faisant mépriser leur rôle (« *À mes filles touchant les femmes doctes de notre siècle* »).

SIGNES D'ÉVOLUTION AU XVIe SIÈCLE

Dans son livre *Le Courtisan* (1528), l'Italien Baldassarre Castiglione (1478-1529) trace pour la dame de cour un idéal de culture — musique, danse, peinture, conversation — qui répond à son rôle exceptionnel dans la société.
Le Hollandais Érasme (1467-1536), dans son colloque *L'abbé et la femme savante* (traduit du latin en français par Marot en 1535), fait exprimer à une femme qui sait le latin et le grec une revendication de pouvoir pour les femmes : « *Aux écoles présideront, En pleine église prêcheront, Et auront vos mîtres et vos crosses.* »

Montaigne (1533-1592) ne dit rien de l'éducation des filles dans son chapitre « De l'institution des enfants » (*Essais*, I, ch. 16) et vise implicitement un garçon. Cependant dans un autre essai (III, ch. 3, « De trois commerces »), il fait preuve d'une indéniable ouverture d'esprit à propos de l'éducation des filles. Chez les femmes, il ne condamne pas le savoir mais l'affectation, et, s'il écarte, comme peu utiles pour elles, la rhétorique, le droit, la logique, il leur accorde la connaissance de la poésie, de l'histoire et, pour la philosophie, « la part qui sert à la vie ».

CRÉATIONS ET PROJETS AU XVIIe SIÈCLE

Rien n'est changé dans les données sociales, morales et religieuses du problème au XVIIe siècle. Mais on voit naître des ordres religieux enseignants destinés à l'éducation des filles (Ursulines, Visitandines, Dames de Saint-Maur). La plus célèbre création est celle de la Maison royale de Saint-Louis à Saint-Cyr, fondée par Mme de Maintenon en 1686 pour les jeunes filles pauvres de la noblesse militaire. Un corps enseignant de dames, constitué à partir de 1692 en ordre religieux, y encadre 250 demoiselles. L'instruction proprement dite y est très limitée ; ce qui est visé, c'est l'éducation religieuse et morale pour former non des savantes mais des épouses, des mères et des maîtresses de maison.
L'objectif de Fénelon dans son *Traité de l'éducation des filles* (1687) n'est pas différent. Il accorde qu'« il faut craindre de faire des savantes ridicules » mais refuse d'« abandonner aveuglément les filles à la conduite de mères ignorantes et indiscrètes ». Il faut, en raison de leur « faiblesse naturelle », les « fortifier » pour qu'elles remplissent bien leur rôle dans leurs maisons : « Une femme judicieuse, appliquée et pleine de religion, est l'âme de toute une grande maison, elle y met l'ordre pour les biens temporels et pour le salut. » (ch. 1).

L'ÉDUCATION PAR LA VIE MONDAINE

L'éducation du monde s'ajoute à celle du couvent ou de la famille, à Paris surtout et s'agissant des filles des classes supérieures. La France est célèbre en Europe pour la place que les femmes tiennent dans la vie de société. Elles y font leur éducation, et les hommes y font tout autant la leur. Des femmes, en général de famille noble, qui avaient reçu une solide instruction, ont animé des cercles mondains et littéraires influents et laissé leur nom en littérature (Mme de Rambouillet, Mlle de Scudéry, Mme de Sévigné, Mme de Lafayette, Mme de Sablé).

INÉGALITÉ DES SEXES DEVANT L'ÉDUCATION

Le Grand Siècle en reste à l'inégalité des sexes devant l'éducation. Les « femmes savantes » sont un sujet de satire au théâtre. François Poulain de la Barre (1647-1723), dans son traité *De l'égalité des deux sexes* (1673), plaide contre cet état de fait, critique les préjugés sur les capacités intellectuelles des femmes et tout ce qui en découle, s'agissant des emplois et de l'éducation. Mais une réflexion aussi ferme est encore rare et fait figure d'anticipation.

Il le faut avouer, l'amour est un grand maître.
Ce qu'on ne fut jamais, il nous enseigne à l'être,
Et souvent de nos mœurs l'absolu changement
Devient par ses leçons l'ouvrage d'un moment.
(Horace, III, 4, v. 900-903)

L'amour est nommé dès le titre de la comédie. C'est lui que désigne cette périphrase énigmatique — « l'école des femmes » — qui prend son sens lorsqu'Horace explique à Arnolphe la transformation d'Agnès par l'amour (III, 4, v. 896-910).
L'éloge des effets de l'amour est un lieu commun traditionnel de la poésie légère et des contes qui décrivent comment il adoucit les plus rudes ou inspire audace et ruse aux plus sages (cf. *Documents*, p. 158).
Molière joue sur ce thème mais peint aussi les effets profonds de l'amour sur les trois protagonistes de l'action. Celle-ci gagne ainsi en richesse psychologique et dramatique, sans qu'on quitte le comique, alors qu'elle a commencé sur le thème conventionnel du cocuage.

AGNÈS OU L'AMOUR INGÉNU

« J'admire quelle joie on goûte en tout cela,
Et je ne savais point encore ces choses-là. »
(Agnès, v. 605-606)

C'est chez Agnès que l'amour produit la plus spectaculaire métamorphose lorsqu'elle le découvre tout à coup, alors que son éducation lui en avait laissé tout ignorer (cf. *Ingénuité**).

Étude

•

Observer
- l'« innocence » d'Agnès, son ignorance des faits sexuels (v. 159-164) ; la naïveté avec laquelle elle reçoit les saluts galants d'Horace (v. 485-502), la visite de l'entremetteuse (v. 505-534) ; ses réponses aux questions d'Arnolphe (v. 580-586) ; son étonnement qu'il puisse y avoir un péché lié à l'amour (v. 595-610) ;
- la simplicité avec laquelle elle évoque sa découverte de l'amour lors des visites d'Horace (II, 5, v. 559-564). Analyser le vocabulaire : « Des choses (...) dont (...) / La douceur me chatouille et là-dedans remue / Certain je ne sais quoi dont je suis toute émue. »

* *Cf. Index des thèmes p. 172.*

Étudier sa lettre à Horace (III, 4). La rapprocher de l'éloge qu'Horace fait d'elle : « bonté », « tendresse innocente », « ingénuité », « pure nature » (v. 940-945). L'amour révèle son « beau naturel », « la clarté » de son esprit : « L'amour a commencé d'en déchirer le voile. » (v. 950-956) ;
- la description de sa transformation sous l'effet de l'amour, « un grand maître », qui lui fait découvrir la ruse (v. 895-933). Remarquer que l'amour n'a pas sur elle seulement cet effet habituel dans la convention galante et comique (cf. *Documents*, p. 159) ; il révèle sa personnalité, en lui faisant découvrir sa liberté, au prix de la peur de la faute (cf. sa lettre), et lui fait désirer de s'affranchir de l'ignorance où l'a tenue Arnolphe (V, 4, v. 1553-1559) ;
- son engagement absolu dans son amour pour Horace : « ... comme je suis sans malice (...) je pense que j'en mourrais de déplaisir. » (III, 4). Sa simplicité y rend leur plein sens aux mots qu'elle emprunte au vocabulaire de l'époque. Voir aussi : « Non, vous ne m'aimez pas autant que je vous aime. » (V, 3, v. 1469).

Définir les caractères de l'amour ingénu d'après l'exemple d'Agnès.

Examiner l'amour ingénu d'Agnès dans ses rapports avec l'idéal romanesque.

HORACE OU L'AMOUR ROMANESQUE

« J'ai d'amour en ces lieux eu certaine aventure... »
(Horace, v. 304)
« J'aimerais mieux mourir que l'avoir abusée,
Je lui vois des appas dignes d'un autre sort,
Et rien ne m'en saurais séparer que la mort. »
(Horace, v. 1417-1419)

Horace donne l'image d'une conduite romanesque exemplaire, car il passe d'une disponibilité galante un peu superficielle à la dévotion respectueuse à l'objet de son amour. Il méritera ainsi de concilier la liberté du cœur et les convenances du mariage.

Étude

•

Observer
- qu'Horace apparaît d'abord comme un « blondin » conventionnel quêtant une aventure galante à la faveur d'un voyage : relever les termes du vocabulaire galant dans lesquels il fait confidence de son « aventure » à Arnolphe (I, 4), les manœuvres dont il a usé pour approcher Agnès (II, 5, v. 484 et suiv.).
- qu'il est cependant, dès le début, touché par les qualités ingénues d'Agnès : « Un air tout engageant, je ne sais quoi de tendre / Dont il n'est point de cœur qui se puisse défendre » (v. 323-324) ;
- que la lettre d'Agnès le fait passer à l'étape de l'admiration pour sa ruse et pour les qualités de cœur qu'elle montre (v. 910-955) ;
- qu'à la confiance d'Agnès, qui s'échappe pour le rejoindre, il répond par le respect et un engagement total de son cœur et de sa vie (V, 2, v. 1412-1419) ;
- que son amour, dont l'histoire est déjà fort romanesque — enlèvement d'une belle à son tuteur jaloux —, va connaître des épreuves : l'arrivée d'Oronte, son père, qui veut le marier à la fille d'Enrique, la trahison d'Arnolphe ; mais que le hasard romanesque a protégé son amour en récompense de ses mérites (V, 6-9).

Définir les caractères de l'amour romanesque d'après l'exemple d'Horace.

ARNOLPHE OU LA JALOUSIE RIDICULISÉE

« Et cependant je l'aime, après ce lâche tour,
Jusqu'à ne me pouvoir passer de cet amour.
Sot, n'as-tu point de honte ?... »
(Arnolphe, v. 998-1000)

Arnolphe élève Agnès, sa pupille, de façon méfiante et jalouse avec l'intention de l'épouser. Mais l'aime-t-il ? L'amour, qu'il tend d'ailleurs à confondre avec la galanterie, semble absent de sa vie. Cependant, menacé de perdre Agnès, il prend conscience qu'il l'aime et ne peut se passer d'elle. Il se le reproche immédiatement par amour-propre, mais l'amour-propre et l'amour vont conjuguer leurs effets au détriment de sa liberté. Et bientôt cet homme de tempérament possessif, alors que la partie est déjà perdue, se révèle possédé par sa passion jusqu'au ridicule. Il finit par tout lui sacrifier, ses certitudes, sa vanité d'homme, et même son honneur auquel il tenait tant.
Sans doute cette évolution est-elle dictée par la logique comique de la pièce, qui est celle d'une fable : Arnolphe, l'homme à système, doit échouer, c'est-à-dire tomber dans la complaisance qu'il a raillée chez les maris. Mais il y a aussi, dans la peinture d'Arnolphe devant Agnès, une richesse psychologique que le comique même dévoile.

Étude

•

Chercher les signes et la place de l'amour dans le langage et dans le comportement d'Arnolphe aux étapes successives de l'action.

Observer son attitude de tuteur et de futur mari d'Agnès :
- Lorsqu'Arnolphe parle d'Agnès à Chrysalde, il s'agit de *mariage** et non d'amour. Sans doute attend-il de sa femme qu'elle l'aime (cf. v. 101-102) ; c'est inscrit dans ses devoirs comme de prier Dieu, coudre et filer. Sans doute fait-il cette confidence comique : « Un air doux et posé, parmi d'autres enfants,/M'inspira de l'amour pour elle dès quatre ans. » (v. 129-130). Sans doute a-t-il l'esprit tout occupé d'elle et désire-t-il savoir si elle s'est ennuyée en son absence (I, 2, 3).
Mais il ne montre pour elle nulle estime, et, par là, il est bien loin du bel amour. Il « pâme de rire » devant ses propos naïfs et rit encore en racontant qu'elle lui a demandé « si les enfants qu'on fait se faisaient par l'oreille » (v. 160-164). L'important n'est pas l'amour mais de ne pas être cocu.

- Lorsqu'Arnolphe parle d'Agnès étant seul (cf. I, 3-4, v. 244-250 ; III, 3, v. 808-842), il s'agit toujours de sécurité et de domination. Il a pour Agnès l'attachement d'un propriétaire vaniteux de son bien et de son œuvre : « Comme un morceau de cire entre mes mains elle est » (v. 810) ; il tient à elle comme à une preuve de l'exactitude de ses principes. Cette *jalousie** bourgeoise le disqualifie.
- Lorsqu'il s'adresse à Agnès au moment de passer du rôle de tuteur à celui de mari, il ne prononce jamais le mot « amour » ; il ne s'agit que de mariage ou de leçon sur le *péché** (cf. I, 3 ; II, 5 ; III, 1 et 2). Quand Arnolphe déclare enfin clairement son projet : « Je vous épouse, Agnès » (v. 679), il lui parle seulement de l'honneur qu'il lui fait et du « profond respect où la femme doit être / Pour son mari, son chef, son seigneur et son maître » (v. 711-712). Un « doux regard » sera une « grâce » venue d'une sorte de Dieu sévère qu'une femme doit « n'oser jamais (...) regarder en face » (v. 713-716). Le futur mari parle en « directeur » (de conscience) qui prépare une jeune fille naïve aux devoirs du mariage et la met en garde contre tout manquement à la fidélité en évoquant « les chaudières bouillantes » de l'enfer (v. 727-728). À comparer aux propos que lui a tenus Horace (v. 559-564).

Relever ses réactions quand Agnès lui échappe :
- après les premières confidences d'Horace : « trouble d'esprit » (v. 358), « trouble impérieux » (v. 373), mais Arnolphe ne parle encore que de son « honneur » (v. 381-383) ;
- lors de l'interrogatoire d'Agnès (II, 5) : « Ô fâcheux examen d'un mystère fatal / Où l'examinateur souffre seul tout le mal ! » (v. 565-566) ;
- quand Agnès est passée de l'imprudence naïve à la désobéissance délibérée : sa *jalousie** s'exaspère et le conduit à exprimer un sentiment qu'il ignorait ou, peut-être, refoulait jusqu'alors : « Je souffre doublement dans le vol de son cœur, / Et l'amour y pâtit aussi bien que l'honneur » (III, 5, v. 986-987). Il avoue qu'il ne peut plus se passer d'elle, et se le reproche comme une faiblesse : « Sot, n'as-tu point de honte ?... » (v. 997-1001). Il est sous sa domination, qui est liée à l'attrait physique, jusqu'alors à peine suggéré par quelques mots plaisants (v. 237, 619). L'aveu en est clair après son inspection infructueuse de l'appartement d'Agnès : « Jamais ses yeux aux miens n'ont paru si perçants, / Jamais je n'eus pour eux des désirs si pressants... » (IV, 1, v. 1022-1023).

Analyser la façon dont il parle enfin d'amour à Agnès (V, 4) : c'est pour lui reprocher d'aimer Horace (« Ah ! c'est que vous l'aimez, traîtresse » v. 1520) et de ne pas l'aimer, lui, Arnolphe : « Vous ne m'aimez donc pas, à ce compte ? » (v. 1531) ; « Pourquoi ne m'aimer pas, Madame l'impudente ? » (v. 1533). Agnès répond par une question qui vaut constat de l'incapacité d'Arnolphe à se faire aimer (v. 1535-1536). Son échec tient à ce qu'il ne sait pas aimer lui-même. Il tente de lier l'amour à la reconnaissance (v. 1553) ; mais Horace a ouvert les yeux à Agnès sur l'éducation dans laquelle Arnolphe l'a enfermée ;

Observer sa soumission finale : « Chose étrange d'aimer, et que pour ces traîtresses / Les hommes soient sujets à de telles faiblesses ! » (v. 1569 et suiv.). Remarquer que ce développement est adressé à la salle comme une justification et une demande d'indulgence complice. Il est chargé de misogynie conventionnelle jusqu'à en être comique, comme est comique la supplication qui suit, avec passage au tutoiement : amour contre pardon, Arnolphe cherchant à garder le beau rôle (v. 1580-1583), puis contre promesse de toutes les complaisances, dans un discours qui mêle la rhétorique galante, le désir libertin et les hyperboles cocasses (v. 1586-1604). Ne pas méconnaître l'éclairage comique qui tombe sur Arnolphe. Sollicité de le jouer, le tragédien Talma, au début du XIXe siècle, a refusé, assurant que le vers « Veux-tu que je m'arrache un côté de cheveux ? » suffisait à l'en empêcher.

Observer sa volonté de se venger (v. 1610-1611). Cependant elle se double de l'espoir de détacher Agnès d'Horace et de la reconquérir : « Peut-être que son âme, étant dépaysée,/Pourra de cet amour être désabusée. » (v. 1620-1621).

Questions à examiner :
- Quels sont les liens entre les préjugés d'Arnolphe contre les femmes et son échec en amour ?
- Pour quelles raisons Arnolphe n'est-il pas grandi par la passion mais rabaissé ?
- Quelle est la signification de l'éclairage comique sous lequel sa conduite et sa souffrance sont placées ?

Documents

•

- « L'amour est un grand maître... » L'expression se trouve déjà dans une comédie de Corneille, *La Suite du menteur* (1644). Pour sonder les sentiments de Dorante à son égard, Mélisse imagine d'user d'une ruse avec le concours de Lyse, sa femme de chambre :

MÉLISSE. Porte-lui mon portrait, et comme sans dessein
Fais qu'il puisse aisément le surprendre en ton sein ;
Feins lors pour le ravoir un déplaisir extrême :
S'il le rend, c'en est fait ; s'il le retient, il m'aime.

LYSE. À vous dire le vrai, vous en savez beaucoup.

MÉLISSE. L'amour est un grand maître : il instruit tout d'un coup.

- La Fontaine ne manque pas d'exploiter ce thème dans ses *Contes* (1665-1671). Voici de début de *La Courtisane amoureuse*

Le jeune Amour, bien qu'il ait la façon
D'un dieu qui n'est encor qu'à sa leçon[1],
Fut de tout temps grand faiseur de miracles :
En gens coquets il change les Catons[2],
Par lui les sots deviennent des oracles,
Par lui les loups deviennent des moutons.
Il fait si bien que l'on n'est plus le même,
Témoin Hercule et témoin Polyphème[3],
Mangeurs de gens : l'un, sur un roc assis,
Chantait aux vents ses amoureux soucis,
Et, pour charmer sa nymphe joliette,
Taillait sa barbe, et se mirait dans l'eau ;
L'autre changea sa massue en fuseau
Pour le plaisir d'une jeune fillette.
J'en dirais cent.

1. Qui en est à apprendre ses leçons.
2. Caton le censeur est le modèle de l'austérité romaine.
3. Hercule combat d'ordinaire les monstres et les brigands ; Polyphème est un cyclope anthropophage. « L'un » (Polyphème) s'éprit de la néréide Galatée ; « l'autre » (Hercule) chercha à séduire Omphale, reine de Lydie.

- De l'amour romanesque, Molière fait une évocation satirique dans *Les Précieuses ridicules* (1659). C'est Magdelon qui parle :

Mon père, voilà ma cousine qui vous dira, aussi bien que moi, que le mariage ne doit jamais arriver qu'après les autres aventures. Il faut qu'un amant, pour être agréable, sache débiter les beaux sentiments, pousser le doux, le tendre et le passionné, et que sa recherche soit dans les formes. Premièrement, il doit voir au temple, ou à la promenade, ou dans quelque cérémonie publique, la personne dont il devient amoureux ; ou bien être conduit fatalement chez elle par un parent ou un ami, et sortir de là tout rêveur et mélancolique. Il cache un temps sa passion à l'objet aimé, et cependant lui rend plusieurs visites, où l'on ne manque jamais de mettre sur le tapis une question galante qui exerce les esprits de l'assemblée. Le jour de la déclaration arrive, qui se doit faire ordinairement dans une allée de quelque jardin, tandis que la compagnie s'est un peu éloignée ; et cette déclaration est suivie d'un prompt courroux, qui paraît à notre rougeur, et qui, pour un temps, bannit l'amant de notre présence. Ensuite il trouve moyen de nous apaiser, de nous accoutumer insensiblement au discours de sa passion, et de tirer de nous cet aveu qui fait tant de peine. Après cela viennent les aventures, les rivaux qui se jettent à la traverse d'une inclination établie, les persécutions des pères, les jalousies conçues sur de fausses apparences, les plaintes, les désespoirs, les enlèvements, et ce qui s'ensuit. Voilà comme les choses se traitent dans les belles manières, et ce sont des règles dont, en bonne galanterie, on ne saurait se dispenser. Mais en venir de but en blanc à l'union conjugale, ne faire l'amour qu'en faisant le contrat du mariage, et prendre justement le roman par la queue ! encore un coup, mon père, il ne se peut rien de plus marchand que ce procédé ; et j'ai mal au cœur de la seule vision que cela me fait. (Sc. 4)

- Molière met en scène dans *Les Fâcheux* (1661), un amusant débat sur la *jalousie** (II, 5). En voici la fin :

> ORANTE.
> *Si pour vous plaire il faut beaucoup d'emportement,*
> *Je sais qui vous pourrait donner contentement ;*
> *Et je connais des gens dans Paris plus de quatre*
> *Qui, comme ils le font voir, aiment jusques à battre.*
>
> CLYMÈNE.
> *Si pour vous plaire il faut n'être jamais jaloux,*
> *Je sais certaines gens fort commodes pour vous,*
> *Des hommes en amour d'une humeur si souffrante,*
> *Qu'ils vous verraient sans peine entre les bras de trente.*
>
> ORANTE.
> *Enfin par votre arrêt vous devez déclarer*
> *Celui de qui l'amour vous semble à préférer.*
>
> ÉRASTE.
> *Puisqu'à moins d'un arrêt je ne m'en puis défaire,*
> *Toutes deux à la fois je vous veux satisfaire ;*
> *Et pour ne point blâmer ce qui plaît à vos yeux,*
> *Le jaloux aime plus, et l'autre aime bien mieux.*

- Balzac, dans son roman *Béatrix* (1839), prête au dandy Maxime de Trailles une interprétation tout à fait romantique de la passion d'Arnolphe, passion absolue jusqu'à être dégradante :

> *L'on croit qu'Othello, que son cadet Orosmane, que Saint-Preux, René, Werther*[1] *et autres amoureux en possession de la renommée représentent l'amour ! Jamais leurs pères à cœur de verglas n'ont connu ce qu'est un amour absolu, Molière seul s'en est douté. L'amour, madame la duchesse, ce n'est pas d'aimer une noble femme, une Clarisse*[1], *le bel effort, ma foi !... L'amour, c'est de se dire : « Celle que j'aime est une infâme, elle me trompe, elle me trompera, c'est une rouée, elle sent toutes les fritures de l'enfer... » et d'y courir, et d'y trouver le bleu de l'éther, les fleurs du paradis. Voilà comme aimait Molière, voilà comme nous aimons, nous autres mauvais sujets ; car, moi, je pleure à la grande scène d'Arnolphe !...*

1. Othello, Orosmane, Saint-Preux, René, Werther, Clarisse, sont respectivement des créations de Shakespeare (*Othello*, 1604), Voltaire (*Zaïre*, 1732), Rousseau (*La Nouvelle Héloïse*, 1761), Chateaubriand (*René*, 1802), Goethe (*Souffrances du jeune Werther*, 1774), Richardson (*Clarisse Harlowe*, 1748).

L'École des femmes, Acte III. Arnolphe assis. Dessin de F. Boucher.

ARNOLPHE. Et c'est assez pour elle, à vous en bien parler,
De savoir prier Dieu, m'aimer, coudre et filer.
CHRYSALDE. Une femme stupide est donc votre marotte ?
(I, 1, v. 100-103)

L'action d'une comédie traduit toujours un état des mœurs et de l'opinion. *L'École des femmes*, au-delà du jeu sur la peur du cocuage, ouvre des aperçus intéressants sur la condition des femmes vers 1660 et, par le biais du comique, témoigne de l'état des mentalités à ce sujet et des tensions qui pouvaient exister entre les tenants de la tradition et l'évolution des mœurs.
Molière touche à ce sujet parce qu'on peut s'en amuser au théâtre mais aussi parce qu'il a l'ambition de peindre les mœurs et les caractères de son temps.

LE POIDS DE LA TRADITION D'APRÈS *L'ÉCOLE DES FEMMES*

Votre sexe n'est là que pour la dépendance :
Du côté de la barbe est la toute-puissance. »
(Arnolphe, v. 699-700)

Dans la France du XVIIe siècle, les structures familiales et économiques cantonnent les femmes dans la maternité et la vie domestique. Les lois civiles, traduisant cet état de fait, font de la femme une mineure qui passe de la tutelle parentale à celle de son mari. À défaut de se marier, une fille entre au couvent ou reste à la charge d'un parent. Il n'est, pour une femme, guère de possibilité de vie indépendante, sauf si elle exerce l'un des rares métiers qui lui soient ouverts (celui de marchande, coiffeuse, sage-femme...) ou si elle est veuve avec les ressources d'un douaire (cf. *Mariage**).
L'éducation des filles est subordonnée au rôle dans lequel les enferme la coutume (cf. p. 150).

Étude

•

Arnolphe exprime, dans la conduite de la destinée d'Agnès, la tradition qui pèse sur la condition des femmes.

Analyser
- *l'éducation** d'Agnès : I, 1 ;
- la façon dont Arnolphe, en sa qualité de tuteur, a décidé de faire

d'Agnès sa femme (I, 1) et le lui annonce (III, 2), cf. *Mariage** ;
- le « sermon » qu'il lui fait sur la soumission de la femme à son mari et les maximes du mariage qu'il lui donne à lire (III, 2) ;
- le rôle de la *religion** dans cet ordre des choses : péché de la chair hors du mariage (v. 595-610) et châtiments de l'enfer pour « les femmes mal vivantes » (v. 723-737) ;
- les préjugés sur la nature féminine qui sous-tendent le tout : Arnolphe s'y réfère en cherchant la complicité de la salle (V, 4, v. 1574-1578) ; relever les termes spécifiques appliqués aux femmes ; c'est le thème de la « faiblesse naturelle des femmes », que Fénelon mentionne encore au début de son *Traité de l'éducation des filles* (1687) avant d'écrire : « Plus elles sont faibles, plus il est important de les fortifier. »

L'ÉVOLUTION DES MŒURS

« Héroïnes du temps, Mesdames les savantes,
Pousseuses de tendresse et de beaux sentiments... »
(Arnolphe, v. 244-245)

La France est, en fait, en comparaison de l'Espagne ou de l'Italie, un pays où les femmes, surtout dans les classes privilégiées, jouissent d'une grande liberté. À Paris, en particulier, elles se trouvent au centre de la vie sociale, mondaine, intellectuelle et littéraire, ainsi qu'en témoignent, vers 1660, le développement des « cercles » et des « ruelles », c'est-à-dire des salons.

Étude

•

L'École des femmes offre des preuves que la situation pratique des femmes est très différente de la vie qu'Arnolphe prépare à Agnès.

Observer :
- la protestation continuelle d'Arnolphe contre les mœurs du temps : il voit partout des femmes infidèles à la faveur de la vie mondaine (I, 1), raille les savantes, les « spirituelles », les « cercles », les « ruelles », les femmes qui écrivent (I, 1, v. 87-94 ; I, 3, v. 244-248 ; III, 3, v. 829-832), donne à lire à Agnès des maximes qui témoignent, en la dénonçant, de la part que prennent désormais les femmes aux plaisirs de la vie de société (III, 2) ;

- l'ironie de Chrysalde pour Arnolphe et ses principes archaïques ; il attend d'une femme qu'elle ne soit pas stupide et qu'elle soit responsable de sa conduite (I, 1, v. 103-116), et l'on doit comprendre, à une allusion d'Arnolphe, que sa femme est « habile » (v. 83-84) ; ses réserves sur les excès de complaisance permettent en outre d'imaginer qu'une grande liberté de mœurs se rencontre parfois (IV, 8, v. 1252-1259).

LA LEÇON DE L'ÉCOLE DES FEMMES

Arnolphe apparaît comme un homme du passé, et Molière fait rire de lui. Il tente de maintenir une conception de la place des femmes qui a une longue histoire et qui induit encore la conception de l'éducation des filles. Mais il est ridiculisé aux yeux des spectateurs. Son échec répond à l'attente du public. Si celui-ci est prêt à rire de lui, c'est qu'il se détache dans sa majorité des excès que représente Arnolphe et qu'il se trouve engagé au contraire dans l'évolution des mœurs qui se manifeste dans les couches supérieures et parisiennes de la société.
La pièce plaide-t-elle pour une libération de la femme et des mœurs au sens moderne de cette notion ? Non sans doute. Mais elle pose le problème de la domination masculine, en mettant en cause, observons-le d'ailleurs, ses excès plutôt que son principe. L'autorité paternelle est préservée dans le mariage d'Horace et d'Agnès, mais le problème des mariages forcés, souvent présent dans le théâtre de Molière du fait qu'il fournit un élément d'intrigue, est une fois encore désigné à l'attention. Celui de la dignité et de la liberté des femmes dans le *mariage** y est traité à la faveur d'une situation comique, et résolu par un artifice romanesque optimiste, qui permet à Horace et à Agnès de concilier l'amour et le mariage. C'est en somme un plaidoyer pour le droit au bonheur contre l'esprit de méfiance au bénéfice de la société tout entière.

Documents

•

- Molière met déjà en scène dans *L'École des maris* (1661), à propos de la place des femmes, la résistance des traditionalistes à l'évolution des mœurs. Ici, Sganarelle s'adresse à son frère, Ariste, à propos des deux sœurs que leur père leur a confiées (cf. *les Sources littéraires de L'École des femmes*, p. 138).

Vous souffrez que la vôtre aille leste et pimpante :
Je le veux bien ; qu'elle ait et laquais et suivante :
J'y consens ; qu'elle coure, aime l'oisiveté,
Et soit des damoiseaux fleurée en liberté :
J'en suis fort satisfait. Mais j'entends que la mienne
Vive à ma fantaisie, et non pas à la sienne ;
Que d'une serge honnête elle ait son vêtement,
Et ne porte le noir qu'aux bons jours seulement,
Qu'enfermée au logis, en personne bien sage,
Elle s'applique toute aux choses du ménage,
À recoudre mon linge aux heures de loisir,
Ou bien à tricoter quelque bas par plaisir ;
Qu'aux discours des muguets elle ferme l'oreille,
Et ne sorte jamais sans avoir qui la veille.
Enfin la chair est faible, et j'entends tous les bruits.
Je ne veux point porter de cornes, si je puis ;

La suivante Lisette intervient pour le railler.

Sommes-nous chez les Turcs pour renfermer les femmes ?
Car on dit qu'on les tient esclaves en ce lieu,
Et que c'est pour cela qu'ils sont maudits de Dieu.

(I, 2)

- D'autre part, dans *Les Femmes savantes* (1672), Philaminte est présentée comme ridicule :

PHILAMINTE.
Je n'ai rien fait en vers, mais j'ai lieu d'espérer
Que je pourrai bientôt vous montrer, en amie,
Huit chapitres du plan de notre académie.
Platon s'est au projet simplement arrêté,
Quand de sa République il a fait le traité ;
Mais à l'effet entier je veux pousser l'idée
Que j'ai sur le papier en prose accommodée.
Car enfin je me sens un étrange dépit
Du tort que l'on nous fait du côté de l'esprit,
Et je veux nous venger, toutes tant que nous sommes.
De cette indigne classe où nous rangent les hommes,
De borner nos talents à des futilités,
Et nous fermer la porte aux sublimes clartés.

ARMANDE.
C'est faire à notre sexe une trop grande offense,
De n'étendre l'effort de notre intelligence
Qu'à juger d'une jupe et de l'air d'un manteau,
Ou des beautés d'un point[1]*, ou d'un brocart nouveau.*

BÉLISE.
Il faut se relever de ce honteux partage,
Et mettre hautement notre esprit hors de page[2]*.*

(III, 2)

1. *Un point* : une dentelle.
2. *Mettre hors de page* : un page est un jeune garçon qui fait son éducation auprès d'un grand seigneur ; « être hors de page » se dit au figuré, d'après le *Dictionnaire* de Furetière, de ceux qui sont « affranchis de quelque puissance ou autorité qu'on prenait sur eux ».

- François Poulain de la Barre (1647-1723), dans son traité *De l'égalité des deux sexes* (1673) explique la condition des femmes par les préjugés de la tradition que leur éducation elle-même entretient :

> *Ainsi quelque tempérament qu'aient les femmes, elles ne sont pas moins capables que nous de la vérité et de l'étude. Et si l'on trouve à présent en quelques-unes quelque défaut, ou quelque obstacle, (...) cela doit être rejeté uniquement sur l'état extérieur de leur Sexe, et sur l'éducation qu'on leur donne, qui comprend l'ignorance où on les laisse, les préjugés ou les erreurs qu'on leur inspire, l'exemple qu'elles ont de leurs semblables, et toutes les manières à quoi la bienséance, la contrainte, la retenue, la sujétion et la timidité les réduisent.*
> *Et en effet on n'oublie rien à leur égard qui serve à les persuader que cette grande différence qu'on voit entre leur Sexe et le nôtre, c'est un ouvrage de la raison ou d'institution divine. L'habillement, l'éducation et les excercices ne peuvent être plus différents. Une fille n'est en assurance que sous les ailes de sa mère, ou sous les yeux d'une gouvernante qui ne l'abandonne point ; on lui fait peur de tout ; on la menace des esprits dans tous les lieux de la maison où elle pourrait se trouver seule. Dans les grandes rues et dans les temples même il y a quelque chose à craindre, si elle n'y est escortée. Le grand soin que l'on prend de la parer y applique tout son esprit : tant de regards qu'on lui jette, et tant de discours qu'elle entend sur la beauté y attache toutes leurs pensées ; et les compliments qu'on lui rend sur ce sujet font qu'elle y met tout son bonheur. Comme on ne lui parle d'autre chose, elle y borne tous ses desseins et ne porte point ses vues plus haut. La danse, l'écriture et la lecture sont les plus grands exercices des femmes, toute leur bibliothèque consiste dans quelques petits livres de dévotion (...)*
>
> F. Poulain de la Barre, *De l'égalité des deux sexes*
> Corpus des œuvres de philosophie, Fayard, 1984, p. 97.

- La Bruyère semble répondre à Philaminte et à Poulain de la Barre dans *Les Caractères* (1688-1694), ch. III, « Des femmes ».

> *49. Pourquoi s'en prendre aux hommes de ce que les femmes ne sont pas savantes ? Par quelles lois, par quels édits, par quels rescrits*[1] *leur a-t-on défendu d'ouvrir les yeux et de lire, de retenir ce qu'elles ont lu, et d'en rendre compte ou dans leur conversation ou par leurs ouvrages ? Ne se sont-elles pas au contraire établies elles-mêmes dans cet usage de ne rien savoir, ou par la faiblesse de leur complexion, ou par la paresse de leur esprit, ou par le soin de leur beauté, ou par une certaine légèreté qui les empêche de suivre une longue étude, ou par le talent et le génie qu'elles ont seulement pour les ouvrages de la main, ou par les distractions*[2] *que donnent les détails d'un domestique*[3]*, ou par un éloignement naturel des choses pénibles et sérieuses, ou par une curiosité toute différente de celle qui contente l'esprit, ou par un tout autre goût que celui d'exercer leur mémoire ? Mais à quelque cause que les hommes puissent devoir cette ignorance des femmes, ils sont heureux que les femmes, qui les dominent d'ailleurs par tant d'endroits, aient sur eux cet avantage de moins.* (Ed. 7.)

1. *Rescrits* : décrets.
2. *Distractions* : à rapprocher de « distraire » au sens de « détourner ».
3. *Un domestique* : un intérieur.

« ... c'est une étrange entreprise que celle de faire rire les honnêtes gens. »
(*La Critique de L'École des femmes*, sc. 6)

L'École des femmes a beaucoup fait rire le public. Mais ce nouveau succès de Molière a provoqué immédiatement des réactions de rivalité, et les formes de son comique ont été âprement critiquées. La querelle littéraire soulevée par les auteurs et les comédiens de l'Hôtel de Bourgogne spécialisés dans la tragédie s'est doublée d'une querelle morale dans laquelle, au nom des bienséances et de la religion, s'est mobilisé le parti dévot, par principe hostile au théâtre et à Molière en particulier, ainsi qu'il le prouvera en dénonçant *Tartuffe* (1664) et *Dom Juan* (1665).
Cette querelle (cf. *Jugements et critiques*, p. 139) a aujourd'hui pour intérêt d'aider à entrer dans le problème des formes et de la fonction du comique dans *L'École des femmes*, d'autant mieux qu'elle a permis à Molière de s'expliquer sur sa conception du genre comique (cf. *La Critique de l'École des femmes* ; *L'Impromptu de Versailles*).

Étude

•

RIRE ET COMPLICITÉ

Récapituler ce qui fait de *L'École des femmes* une pièce où l'on rit :
- le thème du *cocuage** ;
- le potentiel comique de la situation initiale : Arnolphe, le railleur des cocus, prend des précautions tellement extraordinaires pour ne pas être trompé par celle qu'il va épouser qu'il ne peut manquer d'échouer ; le jaloux est victime de l'ingénuité de celle qu'il a voulu enfermer dans l'innocence et des intrigues d'un jeune ami dont il espérait « quelque conte gaillard » ;
- le développement systématique de ce potentiel, rendu possible par le défaut fondamental d'Arnolphe, sa vanité qui l'aveugle et lui fait, en face d'Horace, choisir la dissimulation et les manœuvres indirectes ; d'où le comique de la répétition des confidences d'Horace et des échecs d'Arnolphe, que la logique comique exige : Arnolphe est un « ridicule » ;
- l'implication des caractères dans le développement de l'action : comique du vaniteux pris au piège de sa précaution, de sa *jalousie** et de son amour, qui l'humilie ; comique de l'*ingénuité** d'Agnès,

de sa découverte de l'amour et de la dissimulation ; comique de la joie romanesque et des bavardages inopportuns d'Horace ;
- des scènes de farce, qui traduisent le ridicule des principes et du comportement d'Arnolphe : avec Alain et Georgette, dont la simplicité se retourne contre lui (I, 2 ; II, 2) et qui cependant le jugent (II, 3) et se moquent de lui (IV, 4) ; avec le notaire (IV, 2) ;
- les mots comiques dans le rôle d'Arnolphe, dans celui d'Agnès (à retrouver : ex. : « enfants faits par l'oreille », équivoque du « le ») ;
- le jeu satirique, aux dépens des maris complaisants, des femmes volages, des « spirituelles », des « ruelles », des « dragons de vertu » (I, 1 ; IV, 8), des « damoiseaux » (III, 1), des préjugés sur l'éducation des filles et la subordination de l'épouse à son mari (I, 1 ; III, 1 et 2), des jaloux représentés par Arnolphe (éloge paradoxal du cocuage, IV, 8) ; ce jeu comporte de nombreuses apostrophes à la salle en particulier dans le rôle d'Arnolphe, dans ses monologues (ex. : v. 244-248 ; v. 832, 835-839 ; v. 1006-1007), et dans ses apartés (ex. : II, 5 ; V, 4) ;
- le jeu burlesque : le burlesque (italien *burlesco*, de *burla*, plaisanterie) consiste à traiter des thèmes nobles dans le registre familier ou bas (II, 3, Alain : « La femme est en effet le potage de l'homme », v. 436) ou à mêler le registre familier au registre noble (c'est fréquent dans le rôle d'Arnolphe lorsqu'il est en proie à l'émotion, à la colère, à la passion : II, 1 et 2 ; III, 5 ; IV, 1, 7 ; V, 4). On observera l'effet de parodie des genres nobles ainsi obtenu ; même effet parodique quand Molière prête à Arnolphe, à la fin de l'acte II, un vers de Corneille (cf. v. 642).

Analyser comment l'ensemble fonctionne avec la complicité du public et comme une recherche de sa complicité.

LES DROITS DU GENRE COMIQUE

Molière a bénéficié de la complicité du public. Donneau de Visé en témoigne dans *Zélinde* en faisant ainsi parler Cléronte :

> *La mode va jusques aux comédies, et de même que l'on ne trouverait pas un rabat bien fait, s'il n'était de la bonne faiseuse, l'on n'approuverait pas présentement une comédie si elle n'était d'Elomire (Molière).*
>
> (sc. 9)

Certains ont, par réaction critique, cherché les défauts de *L'École des femmes*. Leurs objections aident en fait à cerner les conditions de fonctionnement du genre comique et sa portée.

Examiner :

- **Les rapports du comique et de la vraisemblance** : le reproche d'invraisemblance a été lancé contre de nombreux aspects de *L'École des femmes* : le lieu de l'action, la répétition des confidences d'Horace, le jeu de scène d'Alain et de Georgette se jetant « jusqu'à six ou sept fois » à genoux aux pieds d'Arnolphe, le grès (le pavé) lancé par Agnès, la lettre qu'Agnès, l'ignorante, écrit avec tant d'aisance, le faux dialogue d'Arnolphe et du notaire.

Jugez-vous ce reproche important ? Que peut-on lui opposer ?

- **Le rôle du grossissement dans l'expression comique** : Molière a été accusé d'outrance dans son jeu comique. Dans *La Critique de L'École des femmes*, il fait formuler ce grief au poète Lysidas :

> *Et ce Monsieur de la Souche (...) ne descend-il point dans quelque chose de trop comique et de trop outré au cinquième acte, lorsqu'il explique à Agnès la violence de son amour avec ces roulements d'yeux extravagants, ces soupirs ridicules, et ces larmes niaises qui font rire tout le monde ?*
>
> (sc. 6)

Dorante lui répond :

> *Et quant au transport amoureux du cinquième acte, qu'on accuse d'être trop outré et trop comique, je voudrais bien savoir si ce n'est pas faire la satire des amants, et si les honnêtes gens même et les plus sérieux, en de pareilles occasions, ne font pas des choses... ?*

Que pensez-vous de la justification que Molière donne de son jeu ?

- **Les rapports du comique et de la bienséance** : on reproche à Molière certains détails comiques (« tarte à la crème », « les enfants faits par l'oreille », « les puces », l'équivoque du « le... » d'Agnès, les femmes traitées d'« animaux ») comme des manquements au bon goût. Ce grief tient au souvenir des facilités cherchées par la farce et la *commedia dell'arte* dans les plaisanteries populaires et les allusions grivoises. Molière se justifie par le fait que ces traits sont une façon de peindre les personnages et traduisent le ridicule d'Arnolphe qui est un extravagant.

D'autre part, l'accusation d'impiété et d'offense aux « saints mystères » est lancée à propos du « sermon » d'Arnolphe (cf. *Péché**, *Religion**). Il s'agit ici du droit de toucher à certains sujets au théâtre. Ce droit, Molière le revendique comme étant de la dignité de la comédie, au nom de la peinture des caractères et des mœurs : Dorante :

> *Pour le discours moral que vous appelez un sermon, il est certain que de vrais dévots qui l'ont ouï n'ont pas trouvé qu'il choquât ce que vous dites ; et sans doute que ces paroles d'enfer et de* chaudières bouillantes *sont assez justifiées par l'extravagance d'Arnolphe et par l'innocence de celle à qui il parle. »*
>
> *Ibid.*, sc. 6

Que pensez-vous des droits du comique et de sa commodité pour le dévoilement des problèmes d'une société ?

MOLIÈRE SORT-IL DU COMIQUE ?

Dès 1663, un journaliste, Robinet, dans le *Panégyrique de L'École des femmes*, a reproché à Molière de sortir des règles du comique par la violence de la passion et de la douleur d'Arnolphe, au Ve acte, si bien qu'« on ne sait si l'on doit rire ou pleurer » (cf. *Jugements et critiques*, p. 141).
Cette vision d'Arnolphe a été reprise à l'époque romantique (cf. propos de Maxime de Trailles dans *Béatrix* (1839) de Balzac, cités p. 160). Elle inspire à la même époque l'interprétation de l'acteur Provost, dont Théophile Gautier fait l'éloge. Celle de Lucien Guitry, en 1924, procède du même esprit. Cf. *Jugements et critiques*, p. 144.

Examiner, pour clarifier le débat, ces réflexions de Raymond Picard :

> *Qui aurait une conscience intense et lucide du tragique de la condition humaine ne rirait peut-être jamais. Admettre le rire, c'est l'accepter pour ce qu'il est : une manifestation spontanée, se suffisant à elle-même, impliquant une optique qui lui est propre et se situant à un certain étage du jugement. Dépasser le rire, c'est l'abolir : la méditation tue le rire. La réflexion peut procéder du rire, mais on ne rit pas communément à la réflexion.*
>
> « Molière, comique ou tragique ? le cas d'Arnolphe. » *Revue d'histoire littéraire de la France*, n° 5-6, 1972)

> *(...) si la gaieté de Molière n'est nullement* triste, *en revanche elle est effectivement profonde — bien que cet adjectif de Musset ne soit guère heureux lui non plus. Elle implique une technique élaborée et une exploration psychologique très poussée. Molière sait arrêter à temps la stylisation comique ; il ne réduit jamais ses personnages principaux à l'état de fantoches ; il se refuse à sacrifier leur consistance et leur réalité pour s'assurer des rires faciles.*
>
> *Ibid.*

Argent

•

« Je me vois riche assez pour pouvoir, que je crois,
Choisir une moitié qui tienne tout de moi. »
(Arnolphe, v. 125-126)

L'argent, qui est toujours absent de la tragédie, a toujours un rôle dans la comédie comme dans la réalité de la vie.
Sa présence dans *L'École des femmes* mérite d'être étudiée bien qu'il ne soit pas au centre de l'action.
Arnolphe est un riche bourgeois. On ignore ses activités ; sa demeure « à cent sortes de monde est ouverte à toute heure » (v. 144). Sa fortune lui donne de l'assurance et pourrait lui ouvrir les plaisirs des mœurs mondaines. Il s'en sert pour exécuter son singulier projet : il peut, étant riche, « choisir une moitié qui tienne tout de (lui) », c'est-à-dire qui ne lui apporte pas de dot, contrairement à l'usage. Ainsi, elle sera dans une « pleine dépendance » et n'aura « à (lui) reprocher aucun bien ni naissance » (v. 128), c'est-à-dire qu'elle ne pourra pas l'accuser d'ingratitude en lui rappelant sa dot ou ses origines nobles ; il ne sera pas un George Dandin, mari bafoué d'une Angélique de Sotenville.
Le contrat devant notaire est une étape de tout mariage à partir d'un certain niveau social. Le notaire (IV, 2) cite à Arnolphe les différentes façons, pour un mari, d'« avantager » sa femme par ce contrat. On ne saura pas ce qu'Arnolphe pouvait prévoir pour Agnès en la matière. Elle doit, lui dira-t-il, être heureuse de passer du « vil état de pauvre villageoise » au « rang d'honorable bourgeoise » (v. 683-684). Pas de promesse d'une vie large, par crainte du cocuage et non de la dépense. Est-il avare ? Il prête aisément cent pistoles à Horace dans un mouvement un peu ostentatoire d'homme riche. Cependant, lorsqu'Agnès lui échappe, il se montre capable d'un mot mesquin : « Je vous aurai pour lui nourrie à mes dépens ? » (v. 1547).
Agnès est sous le pouvoir d'Arnolphe parce que sa mère — la paysanne qu'on prend pour sa mère — était pauvre et parce qu'Arnolphe était riche. Élevée dans l'ignorance de la vie, elle ne sait guère ce qu'est l'argent. Libérée par l'amour, elle riposte avec mépris aux calculs d'Arnolphe : « Non, il vous rendra tout jusques au dernier double » (v. 1548).
Quant à Horace, en jeune homme sûr du crédit de son père, il emprunte pour mener à bien une aventure galante, parce que « l'argent (...) En amour, comme en guerre, avance les conquêtes » (v. 343-348). Thème conventionnel de comédie.

Alain et Georgette saisissent l'argent offert avec la promptitude des simples qui n'en voient guère (II, 5, v. 556 ; IV, 4). Thème de farce.

Repères pour compter avec les personnages de Molière
La pistole, monnaie d'or espagnole qui a cours en France, vaut 11 livres. La livre est une unité de compte (il n'existe pas de pièce d'une livre) : 1 livre = 20 sols ou sous ; 1 sol = 12 deniers. Le double est une pièce très courante de deux deniers. L'écu d'or vaut 60 sols, soit 3 livres. Les écus d'or qui « ne sont pas de poids » ont été rognés par des fraudeurs. Horace s'est débarrassé de pièces rognées en les donnant à Alain (v. 670).

Bourgeois

•

« Riche, à ce qu'on m'a dit, mais des plus sensés, non ;
Et l'on m'en a parlé comme d'un ridicule. »
(Horace, v. 330-331)

Comme de nombreux autres bourgeois de Molière, Arnolphe est un « ridicule ». Ainsi que le souligne Paul Bénichou, « le théâtre de Molière (...), loin de plaider en faveur du bourgeois, fait (...) résider tout prestige dans des formes de vie et de sentiment propres à la société noble », en quoi il « témoigne d'un certain état des idées reçues ». (*Les Morales du Grand Siècle*, p. 189).

Observer qu'Arnolphe est riche mais sans noblesse de caractère ni d'âme, ce qui compromet son jugement et le conduit à des comportements et des mouvements passionnels qui l'éloignent de « l'honnêteté » telle qu'on l'entend au XVIIe siècle :
- il veut se faire appeler M. de la Souche, mais, chez lui, le sens de *l'honneur** s'est réduit à la peur du *cocuage** ;
- en apparence sûr de lui et autoritaire, il trahit sa faiblesse de caractère par sa conception du *mariage**, par sa méfiance à l'égard des mœurs nouvelles (cf. *La Condition des femmes en 1662*, p. 162), par sa dissimulation en face d'Horace et par ses manquements à sa parole ;
- il ne sait pas aimer ni se faire aimer (cf. *L'amour dans L'École des femmes*, p. 156) et fait preuve d'une *jalousie** tyrannique.

En contrepoint, Molière ne met en scène, dans *L'École des Femmes*, aucun représentant de la noblesse mais deux bourgeois mieux accordés à leur temps et à ses valeurs : Chrysalde, le raisonneur spirituel et, à l'occasion, paradoxal ; Horace, jeune homme un peu léger mais porté à l'idéalisme romanesque.

Comparer Arnolphe à d'autres bourgeois de Molière : Gorgibus (*Les Précieuses ridicules*, 1659) ; Sganarelle (*Sganarelle ou le cocu imaginaire*, 1660 ; *L'École des maris*, 1661) ; Orgon (*Tartuffe*, 1664-1669) ; Harpagon (*L'Avare*, 1668) ; Monsieur Jourdain (*Le Bourgeois gentilhomme*, 1670).

Cocuage

•

« Moi, je serais cocu ? »
(Arnolphe, v. 1312)

Sujet d'amusement et de plaisanterie dans la vie, le cocuage fournit des ressources comiques sûres aux conteurs et aux farceurs. C'est dans ce fonds traditionnel que Molière a puisé (cf. *Les Sources littéraires de* L'École des femmes, p. 136).

Noter l'originalité du cas d'Arnolphe : ce n'est pas un mari victime d'une femme infidèle, mais un célibataire qui redoute de rejoindre la confrérie des maris trompés et qui, pour éviter cette infortune, prend des précautions qui se révèlent inutiles avant même qu'il soit marié.

Étudier le langage utilisé à propos du cocuage :
- la place occupée par le registre lexical populaire et familier : relever les occurences du mot « cocu », de la métaphore des « cornes », de l'euphémisme du « sot », ainsi que toutes les expressions allusives ;
- la place du style noble auquel recourt également Arnolphe (II, 1 ; IV, 1 et 7) ;
- l'effet de la concurrence des deux registres.

Examiner comment la complicité du public est sollicitée par des généralités satiriques et des plaisanteries :
- peinture de la complaisance des maris trompés, de la ruse des femmes infidèles, du bonheur des galants et de l'adresse de leurs auxiliaires (I, 1 et 4 ; II, 5 ; IV, 5 et 8) ;
- éloge paradoxal du cocuage (IV, 7) ;
- apostrophes au public (ex. : I, 4, v. 289-298 ; III, v. 1005-1007 ; IV, v. 1347-1351).

Analyser la mise en scène des mésaventures d'Arnolphe sous leur aspect de « conte gaillard » (v. 306) : Arnolphe réduit *l'honneur** à celui du front, conçoit une « précaution » pour protéger le sien, est victime de ruses qu'il est toujours incapable de déjouer, dissimule sa honte et, pour finir, s'engage à être un mari complaisant avant même d'être marié, en vain d'ailleurs, car Agnès lui échappe. Mais la conclusion, conforme à l'esprit narquois du genre, est qu'il doit s'en réjouir :

Si n'être point cocu vous semble un si grand bien,
Ne vous point marier en est le vrai moyen.
(v. 1762-1763)

Considérer aussi la peinture de caractère développée à la faveur de ce canevas de fable comique : la peur du cocuage domine Arnolphe et fait de lui un jaloux qui ne sait pas aimer (cf. *Jalousie** et *L'amour dans* L'École des femmes, p. 181).

Lectures : pour suivre le thème du cocuage chez Molière : *La Jalousie du Barbouillé* (date incertaine) ; *Sganarelle ou le cocu imaginaire* (1660) ; *L'École des maris* (1661) ; *George Dandin ou le mari confondu* (1668).

Destin

•

« Ah ! bourreau de destin, vous en aurez menti ! »
(Arnolphe, v. 1206)

Il est de la nature de la comédie d'exclure les visions tragiques de la vie et même de jeter la dérision sur elles.

Observer, dans le cas de *L'École des femmes*, la présence de cette dérision :
- dans la définition de l'enjeu de l'action : ce n'est pas une affaire de vie ou de mort mais de « cornes ». Arnolphe sera-t-il cocu ? La question est tragique pour lui seul. Et l'on est toujours comique quand on prend au tragique ce qui ne l'est pas pour le spectateur (cf. *Cocuage**) ;
- dans le jeu sur le nom du héros qui essaie de se défaire du présage qu'il contient, saint Arnolphe étant le patron des maris trompés et complaisants (I, 1, v. 174, 184-185) ;
- dans le langage prêté à Arnolphe pour se plaindre du destin : Molière y parodie le style noble de la tragédie qui fait référence aux

dieux, à la fatalité et au destin comme à des ressorts décisifs de l'action : la fatalité prend la forme vulgaire et peu sérieuse de l'influence astrologique : « ... sauver mon front de maligne influence » (v. 80) ; « Quoi ! l'astre qui s'obstine à me désespérer/Ne me donnera pas le temps de respirer ! » (v. 1182-1183) ; le registre familier vient dégrader le pathétique : « Ou bien, s'il est écrit qu'il faille que j'y passe... » (III, 5, v. 1005) ; « Et, comme si du sort il était arrêté... » (v. 1198) ;
- dans l'ironie de Chrysalde à l'égard d'Arnolphe : « Si le sort l'a réglé, vos soins sont superflus... » (v. 1310) ; « Mais le sort en cela ne vous est que propice... » (v. 1761).
On reste dans le jeu de la comédie romanesque quand Horace invoque « la faveur de quelque bonne étoile » (v. 957), « (bénit) du Ciel la bonté souveraine » (v. 1373), ou se plaint du Ciel, — à tort, le spectateur le devine — (v. 1623-1624, 1714), tout comme dans l'éloge final du Ciel « qui fait tout pour le mieux », dont Chrysalde se charge (v. 1779). La Providence a remis le monde en ordre comme il se doit alors dans une comédie.

Éducation

•

ARNOLPHE. *« N'est-ce rien que les soins d'élever votre enfance ?*

AGNÈS. *« Vous avez là dedans bien opéré vraiment,*
Et m'avez fait en tout instruire joliment !
(v. 1553-1555)

La question de l'éducation des filles est inséparable de celle de la condition féminine (cf. *L'Éducation des filles aux XVIe et XVIIe siècles*, p. 150 ; *La Condition des femmes d'après* L'École des femmes, p. 162).

Étudier :
- **l'éducation donnée à Agnès par Arnolphe** : il l'a réglée selon sa conception de l'épouse idéale qui doit être soumise et docile et se cantonner dans les tâches domestiques. Elle ne doit pas être une femme « habile », ayant « trop de talents », « une spirituelle », qui fréquente les « ruelles » et compose en vers ou prose. Il veut que sa femme « soit d'une ignorance extrême » ; « c'est assez pour elle (...) / De savoir prier Dieu, (l')aimer, coudre et filer » (v. 83-102). Agnès a été élevée dans un couvent. C'est alors normal. Mais

Arnolphe a choisi « un petit couvent, loin de toute pratique », et a ordonné « quels soins on emploierait / Pour la rendre idiote autant qu'il se pourrait » (v. 135-138). Principe d'éducation paradoxal, car, au lieu de chercher à développer, il s'agit de brider et d'étouffer l'esprit. Arnolphe avait même le dessein, qui n'a pas été respecté, qu'on n'apprenne pas à écrire à Agnès (v. 946-947). Il s'agissait de prolonger un état d'enfance. Et Agnès a été effectivement maintenue dans une telle « innocence » qu'elle demande si l'on fait les enfants par l'oreille, ainsi que le dit son livre de prières à propos de Marie (v. 161-164) (cf. *Ingénuité**).
Cette éducation vise à maintenir Agnès dans la vertu et « l'*honneur** » qui pour une femme compte plus que tout (v. 250) et repose sur la suspicion commune à l'égard de « la faiblesse de la nature des femmes » d'où partent à l'époque toutes les réflexions sur l'éducation des filles (cf. Fénelon, *Traité de l'éducation des filles*, cité p. 163). Arnolphe se réfère à ce préjugé général au moment où il se laisse désarmer par un regard d'Agnès (V, 4, v. 1574-1578). Ce préjugé explique qu'il se méfie des femmes trop instruites qui mettront leur esprit au service de « coupables fins » (v. 820-831). Et quand Agnès le trompera avec une audace inattendue, il pensera au diable (v. 981) et la qualifiera de « petit serpent » (v. 1503). Il n'est pas extraordinaire, dans ce contexte, qu'Arnolphe utilise l'autorité de la *religion** pour maintenir Agnès dans l'obéissance, jouant de la peur du péché (II, 5, v. 595-612) et de l'enfer (III, 1 et 2).
- **le point de vue de Chrysalde** : celui-ci raille Arnolphe. Il a une conception tout autre de la place et, par conséquent, de l'éducation des femmes (la déduire du texte). On peut deviner que sa femme est « habile » et possède l'éducation du monde (I, 1) ;
- **la signification de l'échec d'Arnolphe** : sa théorie se retourne contre lui, ainsi que Chrysalde le lui donnait à craindre (v. 111-116).
- **la rébellion d'Agnès, éclairée par l'amour** : elle en vient à reprocher à Arnolphe l'éducation qu'il lui a donnée ; elle aspire à sortir de l'ignorance pour conquérir sa dignité et sa personnalité (V, 4, v. 1553-1559).

On pourra **s'interroger** sur la portée de la démonstration que constitue la comédie. Arnolphe renchérit d'une manière caricaturale sur les conventions sociales, morales et religieuses qui régissent l'éducation des filles au XVIIe siècle. Son échec et son ridicule le condamnent, et le public de 1662 a ri. Ce rire met-il en cause seulement Arnolphe ? Molière prend-il le parti de « Mesdames les savantes » ? L'idéal féminin d'Horace est-il totalement différent de celui d'Arnolphe ?

Arnolphe raisonne en *bourgeois** d'esprit étriqué, mais est-il le seul ? et le dernier ?

Entremetteuse

•

« J'avais pour de tels coups certaine vieille en main,
D'un génie, à vrai dire, au-dessus de l'humain. »
(Horace, v. 970-971)

L'entremetteuse est un type social et un personnage de comédie et de récit réaliste. Le théâtre espagnol en offre un modèle célèbre, la Célestine (Fernando de Rojas, *Comédie de Calixte et Mélibée*, 1499). Dans une société où les filles sont surveillées, l'entremetteuse est, comme les valets et les servantes, l'auxiliaire des séducteurs. Dans *L'École des femmes*, c'est une vieille faisant ce métier qui a persuadé Agnès de recevoir Horace (elle est mise en scène indirectement dans le récit qu'Agnès fait de son intervention (II, 5, v. 503-536). Horace déplore d'avoir été trop tôt privé de ses services (v. 970-973).
Les « revendeuses à la toilette », qui visitent les maisons avec leur marchandise enveloppée dans une toile, passaient pour rendre les mêmes services. Aussi Arnolphe les redoute-t-il (v. 1134-1139). Sur la scène française, l'entremetteuse devient par convenance la « femme d'intrigue » (cf. Nérine dans *Monsieur de Pourceaugnac*, Frosine dans *L'Avare*).

Honneur

•

« Être avare, brutal, fourbe, méchant et lâche,
N'est rien, à votre avis, auprès de cette tâche (...)
On est homme d'honneur quand on n'est point cocu ! »
(Arnolphe, v. 1232-1235)

Pour Arnolphe, tout l'honneur se ramène :
- pour un homme à l'honneur de son front, au fait de n'être point cocu (cf. *Cocuage**) ;
- pour une femme, au fait d'être fidèle à son mari et d'avoir une conduite modeste et réservée (III, 2, v. 733, 766, 790).

Sans doute est-ce une part non négligeable de l'honneur selon le code social commun. Cependant, chez Arnolphe, la pensée du cocuage est devenue une obsession maniaque qui altère son jugement ainsi que le lui représente Chrysalde (IV, 8, v. 1228-1235). Arnolphe est un *bourgeois** qui perd la mesure propre aux conduites « honnêtes » (Chrysalde le lui dit au vers 1268). Et par là il se ridiculise.

Observer :
- qu'Arnolphe fait preuve de formes de *jalousie** qui contreviennent à la dignité d'Agnès comme à la sienne ; que l'amour-propre le conduit à dissimuler son double nom à Horace (I, 4) et qu'à partir de là, il ne peut plus agir que par ruse ou traîtrise, faire lancer une pierre par Agnès (II, 5), faire administrer des coups de bâton par ses gens (IV, 9), manquer deux fois de parole à Horace qui lui a confié ses intérêts (V) ;
- qu'Horace, en revanche, agit avec Agnès en homme d'honneur qui respecte sa « foi* » selon le meilleur code galant et romanesque.

Ingénuité

•

« Tout ce que son cœur sent, sa main a su l'y mettre,
Mais en termes touchants et tous pleins de bonté,
De tendresse innocente et d'ingénuité. »
(Horace, v. 941-943)

Le mot « ingénuité » vient du latin *ingenuitas*, qui désigne la qualité juridique de l'homme libre, et ses qualités morales. « Sincérité, franchise. (...) *Ingénuité* se prend aussi en mauvaise part pour naïveté, niaiserie, sottise » (*Dictionnaire* de Furetière, 1690). Le sens n'a pas changé.
Agnès, dont le nom tiré du grec signifie « pure », est, dans la littérature, le modèle de l'ingénue, type lié à une certaine conception de l'éducation de la jeune fille visant à préserver son innocence naïve.

Observer qu'Arnolphe a cherché à préserver chez Agnès l'ingénuité de l'enfance afin d'avoir une épouse fidèle. Son projet d'*éducation** traduit l'idée communément répandue alors que les filles ont besoin de vertu et non d'instruction, celle-ci, en raison de leur « faiblesse », étant même propre à les gâter (cf. *L'Éducation des* *filles aux XVIe et XVIIe siècles*, p. 152). Il a ordonné les soins à prendre « pour la rendre idiote autant qu'il se pourrait » (v. 137-138). (« Idiote » signifie « ignorante » dans la vieille langue, qu'affectionne Arnolphe ; mais le mot est alors en train de prendre sa valeur péjorative actuelle, qui est acquise à la fin du siècle d'après Furetière.) Et maintenant, « pour ne point gâter sa bonté naturelle », il la fait vivre à l'écart de sa demeure et servir par « des gens tout aussi simples qu'elle » (v. 142-148).

Étudier les manifestations de l'ingénuité d'Agnès :
- sa façon de répondre à Arnolphe (I, 3 ; II, 5) : observer cependant que, tout d'abord, l'ingénue ne parle pas de ce qui s'est passé d'important, mais se cantonne dans ce qu'Arnolphe attend d'elle ;
- sa conduite en l'absence de son tuteur : accueil des saluts d'Horace, de la démarche de l'entremetteuse, des visites d'Horace ;
- son « innocence » (= ignorance des faits sexuels), dont se loue Arnolphe (I, 1, v. 140-141, 159-164) avant d'en prendre peur (v. 569-588) ;
- les signes de son ingénuité dans l'expression de son amour (III, 4, lettre ; V, 3) ; (cf. *Agnès ou l'amour ingénu*, p. 153) ;
- son ignorance du *péché** (II, 5, v. 595-612) et sa soumission spontanée au *plaisir** (V, 4, v. 1527) qui montrent que son éducation au couvent a, du fait des ordres d'Arnolphe, comporté d'étonnantes lacunes :

Comparer
- les termes dans lesquels Arnolphe évoque ou accueille l'ingénuité d'Agnès (I, 1, 3 ; II, 5) ;
- les termes dans lesquels Horace la dépeint (III, 4, v. 940-945, 951-956) ;
- les termes dans lesquels elle en prend elle-même conscience (II, 5, v. 620 ; III, 4, lettre ; V, 4, v. 1553-1561).

Analyser la part de l'ingénuité et celle des leçons de l'amour dans la résistance d'Agnès à Arnolphe, depuis l'épisode du grès et de la lettre jusqu'à leur ultime affrontement au Ve acte.

S'interroger sur l'usage théâtral de l'ingénuité d'Agnès : comique, portée critique (penser à *L'Ingénu* de Voltaire), émotion, charme poétique.

Jalousie

•

« C'est un fou, n'est-ce pas ? (...)
(...) Jaloux à faire rire ? »
(Horace, v. 334-335)

La jalousie est un sentiment douloureux qui naît de la frustration d'un désir de possession. Le mot est formé sur « jaloux », du latin populaire *zelosus*, formé sur le grec *zelos*, « zèle, émulation ». Elle constitue un thème commun à la tragédie, à la littérature romanesque et galante et au théâtre comique. La tragédie émeut par les souffrances que cause la jalousie et par les crimes qu'elle inspire [cf. Racine, *Andromaque* (1667), *Phèdre* (1677)]. La littérature romanesque la met en débat : il s'agit essentiellement de déterminer « s'il faut qu'un amant soit jaloux » et « lequel doit plus plaire d'un jaloux ou d'un autre », comme le montre Molière dans *Les Fâcheux* (II, 5) : Orante et Clymène y soumettent la question à l'arbitrage d'Eraste qui s'en tire ainsi : « Le jaloux aime plus, et l'autre aime bien mieux ». L'idéal galant accepte la jalousie comme signe de la force de l'amour, à condition qu'elle reste dans les limites du respect de l'objet aimé. Quant à la farce et à la comédie de mœurs, elles peignent le jaloux prêtant à rire par son comportement soupçonneux et possessif. Ainsi *L'École des femmes* fait-elle d'Arnolphe.

Étudier les images données de la jalousie en considérant :
- la méfiance avec laquelle Arnolphe a réglé la vie d'Agnès, telle qu'il la dépeint avec satisfaction (I, 1), telle que la décrit Horace (I, 4), telle que l'explique Alain (II, 3) ;
- le désordre dans lequel le jettent les confidences d'Horace (I, 4 ; II, 1 et 2) ;
- l'interrogatoire auquel il soumet Agnès (II, 5), le sermon qu'il lui adresse (II, 2), puis les reproches après sa fuite (V, 4) ;
- la souffrance qui le bouleverse chaque fois qu'il découvre une nouvelle trahison d'Agnès : la jalousie est, pour lui-même, le révélateur de son amour (III, 5 ; IV, 7 ; V, 4) (cf. *L'Amour dans L'École des femmes*, p. 156) ;
- la dissimulation et la traîtrise dont il use avec son rival, en particulier au cinquième acte, manquant ainsi à *l'honneur**.

Bien qu'Arnolphe se distingue du barbon de théâtre, vieillard amoureux disqualifié par son âge et son physique, sa conduite est toujours placée sous un éclairage comique. Sa jalousie n'est ni tragique ni galante ; c'est celle d'un *bourgeois** point sot mais obsédé par le *cocuage** et, par là, ridicule.

Lectures complémentaires pour étudier la peinture de la jalousie dans le théâtre de Molière : *Don Garcie de Navarre ou Le Prince jaloux* (1661), comédie héroïque ; et surtout *Le Misanthrope* (1666) où Molière reprend, entre Alceste et Célimène, le conflit de Don Garcie et de la princesse Elvire.

Mariage

•

« Le mariage, Agnès, n'est pas un badinage.
À d'austères devoirs le rang de femme engage... »
(Arnolphe, v. 695-696)

Au XVIIe siècle, le mariage est exclusivement célébré à l'église et constitue un sacrement indissoluble. Un mariage conclu sans le consentement des parents, jusqu'à 30 ans pour les garçons, jusqu'à 25 ans pour les filles, peut être réputé nul par les tribunaux ecclésiastiques pour « rapt de séduction ». Il s'agit d'empêcher les mariages secrets échappant à la volonté des familles. Remarquer qu'Agnès est le fruit d'un mariage secret entre Enrique et la sœur de Chrysalde (v. 1740-1741).
Les familles décident des mariages dans tous les milieux, chez les paysans comme chez les ducs, en vertu de considérations de rang et de fortune. Un mariage est une « alliance ». Ainsi, cherchant celle du duc de Beauvillier, important personnage politique, le duc de Saint-Simon (1675-1755), auteur de célèbres *Mémoires*, lui demanda l'une de ses filles ; mais, l'aînée désirant se faire religieuse, la seconde étant contrefaite, la troisième trop jeune, le projet ne put aboutir (*Mémoires*, ch. VIII).
Le mariage est la destination normale des filles qui passent de la tutelle de leur famille à celle de leur mari, à moins qu'elles n'entrent en religion par vocation ou faute de trouver un mari. Sans ressources propres, les métiers féminins indépendants étant rares, le célibat et la liberté après 25 ans, âge de la majorité, n'ont guère d'attrait. En revanche, une veuve reçoit, par son douaire, les moyens de son indépendance. Célimène (*Le Misanthrope*) est une jeune veuve. Les veuves sont nombreuses, car il est courant qu'un homme épouse une fille beaucoup plus jeune que lui. Remarquer que ce n'est pas l'âge d'Arnolphe par rapport à celui d'Agnès qui prête à rire, mais son comportement autoritaire et jaloux.

Analyser les aspects du mariage mis en cause dans *L'École des femmes*, le rire aidant :
- Le pouvoir absolu des pères sur le mariage des enfants mineurs : Agnès dépend totalement d'Arnolphe qui a le pouvoir de convertir son autorité de tuteur en celle de mari, qui annonce, à Agnès, sa décision de l'épouser sans solliciter son accord (v. 679), qui peut, lorsqu'elle lui résiste, l'enfermer dans un couvent (v. 1611). Horace apprend de la même façon que son père a décidé de le marier à la fille d'Enrique (v. 1627-1630). Il se trouve que c'est Agnès. La providence a bien fait les choses. Mais les pères n'ont pas consulté leurs enfants.
- L'autoritarisme masculin dans le mariage : dans son « sermon », par peur d'être cocu, Arnolphe pousse jusqu'à la caricature l'autorité que les mœurs et la loi donnent au mari sur sa femme (III, 2), mais il n'invente rien ; il a la tradition pour lui. L'usage qu'il en fait, les interdits qu'il prononce contre toute liberté et toute vie mondaine pour Agnès (cf. les maximes qu'il lui remet), ses railleries contre les femmes « spirituelles », « savantes », « habiles » prouvent que l'émancipation féminine est loin d'être acceptée par les traditionalistes.
- La limitation délibérée de l'*éducation** des filles en fonction du mariage et de la domination masculine.

Observer que les railleries d'Arnolphe contre les mœurs de son temps et l'attitude toute différente de Chrysalde démontrent que, dans les classes supérieures, et même au niveau où se trouve le bourgeois Arnolphe, la vie des femmes est tout autre que celle qu'il trace à Agnès.

Lectures complémentaires pour établir la problématique du mariage dans le théâtre de Molière :
- *L'École des maris* (1661) (cf. *les Sources littéraires de L'École des femmes*, p. 138) ;
- *Tartuffe* (1664-1669), *L'Avare* (1668) : lutte des enfants contre leur père qui veut les marier contre leur gré, les enfants l'emportent ;
- *Les Femmes savantes* (1672) : satire de l'affectation intellectuelle des « savantes » (Philaminte, suivie par Armande et Bélise) et de la prise de pouvoir de Philaminte sur son mari, le trop docile Chrysale, valorisation de la vocation traditionnelle de la femme (Henriette désire « un mari, des enfants, un ménage », mais se mariera selon son cœur, non selon le choix de sa mère) ;

- *Le Malade imaginaire* (1673) : Béralde s'emploie à empêcher qu'Argan n'oblige Angélique, sa fille, à épouser un médecin, sous peine d'être mise au couvent ; impatience de Béline, jeune seconde épouse d'Argan, aspirant au veuvage.

Péché

•

AGNÈS :
Un péché, dites-vous ! et la raison, de grâce ?
ARNOLPHE :
La raison ? La raison est l'arrêt prononcé
Que par ces actions le Ciel est courroucé.
(v. 600-602)

La notion de péché (lat. *peccatum*, de *peccare*, pécher) appartient à la morale religieuse. C'est, dans la perspective chrétienne, une transgression consciente et volontaire de la loi de Dieu. On distingue les péchés véniels (pardonnables) et les péchés mortels qui font encourir la damnation éternelle.
Agnès a été maintenue dans une telle innocence qu'elle n'a pas conscience du péché — « un péché mortel des plus gros qu'il se fasse » (v. 599) — auquel elle s'expose en recevant Horace. Son *ingénuité** est une source de comique, mais aussi l'amorce d'une réflexion critique sur la notion même de péché, car Agnès représente en quelque sorte l'innocence originelle. Arnolphe ne se flatte-t-il pas d'avoir veillé à « ne point gâter sa bonté naturelle » (v. 147) ? L'enfer et ses « chaudières bouillantes », vu l'usage qui en est fait par Arnolphe, se trouvent également dans le champ du rire et du regard critique.
Bien que le conflit entre la morale du *plaisir** et la morale religieuse soit résolu par le mariage d'Agnès et d'Horace, l'effet théâtral de l'ingénuité d'Agnès a choqué les dévots. Dans ses *Observations sur une comédie de Molière intitulée Le Festin de Pierre* (1665), Rochemont cite à la fois *L'École des femmes, Tartuffe* et *Dom Juan* pour accuser Molière d'« (avoir) fait monter l'athéisme sur le théâtre ».

Plaisir

•

« Le moyen de chasser ce qui fait du plaisir ? »
(Agnès, v. 1527)

Le plaisir n'a jamais été exclu par la morale du monde, et, à l'exemple du jeune roi Louis XIV, dont la liaison avec Mlle de La Vallière (née en 1644) n'est un secret pour personne en 1662, la jeune cour donne dans la morale du plaisir, illustrée par les fêtes du Louvre et de Versailles (cf. *Les Plaisirs de l'île enchantée*, 1664). Mais que, non pas dans une fiction mythologique mais dans une comédie de mœurs, une Agnès ignore le *péché** et se réclame du plaisir avec *ingénuité** est ressenti par certains comme un défi à la morale religieuse (cf. *Religion**).

Pour étudier la place du plaisir dans l'action de *L'École des femmes*, **analyser** :
- l'attitude ambiguë d'Arnolphe : tout en condamnant la galanterie qui lui apparaît comme une menace pour l'*honneur** de son front (I, 1 ; II, 2), il s'amuse des histoires « gaillardes » et prête à Horace, comme naturel à son âge, le goût des aventures libertines (v. 291-307). Mais à Agnès il ne parle que de *péché**, de vertu et de devoirs en condamnant non seulement l'accueil fait à Horace mais tous les plaisirs de la vie de société (III, 1, 2) ;
- la façon dont Horace se réclame spontanément de la morale du plaisir (I, 4), adopte le ton et les méthodes d'un séducteur (v. 337-350), avec l'excuse déclarée de l'amour (III, 4), forme noble du plaisir (V, 2 :) : « À des charmes si doux je me laisse emporter / Et dans la vie, enfin, il se faut contenter. » (v. 1422-1423) ;
- l'*ingénuité** avec laquelle Agnès exprime le plaisir de l'amour en toute ignorance du *péché** (v. 549-564 ; 600-612), faisant entendre la voix de la nature avant l'apprentissage de la morale religieuse. Arnolphe a voulu préserver sa « bonté naturelle » (v. 147) ; Horace reconnaît en elle « la pure nature » (v. 944).

Observer que l'amour, le plaisir et la morale se trouveront réconciliés au dénouement par le mariage d'Horace et d'Agnès, conformément au principe rappelé par Arnolphe (v. 609-610).

Lecture complémentaire : *Dom Juan* (1665) où les conséquences de la morale du plaisir sont présentées dans toute leur extension.

Préciosité

•

« Peste ! une précieuse en dirait-elle plus ? »
(Arnolphe, v. 1542)

Le thème de la préciosité est présent dans la pièce sans que le terme apparaisse. Le mot « précieuse » n'y est prononcé qu'une fois, par Arnolphe, dans une intention péjorative (V, 4, v. 1542). Celles que nous appelons les précieuses représentent pour lui, sous le nom de « spirituelles » (v. 87) ou de « pousseuses de tendresse » (v. 245) une manière de vivre et de penser dont il ne voudrait pas chez lui, car une « femme habile », une « femme d'esprit » est, à ses yeux, une menace pour l'autorité et pour l'honneur de son mari (v. 820-832).

Observer
- que pour Arnolphe, une femme sort de son rôle quand elle est « habile », c'est-à-dire instruite et intelligente ; c'est malgré lui qu'on a appris à écrire à Agnès (v. 946-947) ; « Le mari doit, dans les bonnes coutumes, / Écrire tout ce qui s'écrit chez lui » (VIIe maxime du mariage, v. 782-783) ; aussi s'en prend-il à la vie mondaine des « cercles » et des « ruelles », c'est-à-dire des salons féminins, où les activités littéraires sont devenues le premier plaisir de la vie de société (I, 1, v. 87-102). Le *Dictionnaire des Précieuses* de Somaize (1660) donne une idée du phénomène par ses listes de dames qui reçoivent gens du monde et écrivains.
- qu'Arnolphe apostrophe les « héroïnes du temps, Mesdames les savantes, pousseuses de tendresse et de beaux sentiments » pour railler vers, romans, lettres, billets doux et leur opposer l'« honnête et pudique ignorance » d'Agnès (v. 245-248). Penser au succès des romans de Madeleine de Scudéry, *Le Grand Cyrus* (1649-1653) et *Clélie, histoire romaine* (1654-1660) qui contient la fameuse *Carte de Tendre*, un amusement de société devenu le symbole de l'idéalisme précieux ;
- qu'Arnolphe accuse Agnès d'être une « raisonneuse » et de parler comme une précieuse lorsqu'elle constate qu'il n'avait qu'à savoir se faire aimer comme Horace (v. 1534-1547).
Il est évident qu'Arnolphe et ses conceptions antiféministes ne sont pas éclairés favorablement par Molière.

Lectures complémentaires : Molière, *Les Précieuses ridicules* (1659), *Les Femmes savantes* (1672).

Religion

•

« (...) il est aux enfers des chaudières bouillantes
Où l'on plonge à jamais les femmes mal vivantes. »
(Arnolphe, v. 727-728)

Le sujet de *L'École des femmes* n'est pas la religion en ce sens que les rapports avec Dieu n'y sont pas en débat comme dans *Dom Juan*, ni la dévotion comme dans *Tartuffe*. La religion est présente dans l'action comme une donnée familière de la vie : Agnès a été élevée au couvent, et pour lui faire la leçon sur ses erreurs de conduite, Arnolphe se réfère à l'enseignement de la religion, au *péché** et aux châtiments de l'enfer (II, 5 ; III, 1 et 2).
Le discours d'Arnolphe, son « sermon », où il prend un ton de « directeur » (v. 646), est comique par les formulations enfantines dont il use, et les dévots s'en sont offusqués. Dans *La Critique de l'École des femmes*, Dorante répond sur ce point à Lysidas qui reproche à la pièce de « (choquer) même le respect que l'on doit à nos mystères » (nos croyances religieuses) :

> *« Pour le discours moral que vous appelez un sermon, il est certain que de vrais dévots qui l'ont ouï n'ont pas trouvé qu'il choquât ce que vous dites ; et sans doute que ces paroles d'"enfer" et de "chaudières bouillantes" sont assez justifiées par l'extravagance d'Arnolphe et par l'innocence de celle à qui il parle.*
>
> (sc. 6)

Mais, en 1665, Rochemont, dans ses *Observations sur Le Festin de Pierre (Dom Juan)*, reprendra avec violence cette accusation d'impiété contre Molière :

> *(l'impie) corrompt les mœurs et raille ensuite les mystères ; il tourne en ridicule le paradis et l'enfer ; il décrie la dévotion sous le nom d'hypocrisie ; il prend Dieu à partie, et fait gloire de son impiété à la vue de tout un peuple.*

À noter que l'iconographie populaire représente ces « chaudières bouillantes » reprochées à Molière ; G. Couton cite *Le Grand calendrier et compost des bergers*, imprimé à Troyes par les Oudot (*Œuvres* de Molière, La Pléiade, t. I, p. 1275).

abord (d') : tout de suite.
abord (d') que : dès que.
abuser : tromper.
admirer : considérer avec étonnement.
bile : colère.
bizarre : extravagant.
brutal : grossier.
cadeau : repas ou partie de campagne.
chagrin (n.) : irritation, mauvaise humeur ; cause d'irritation ;
(adj.) : irritable, morose.
civil : poli.
comme : comment.
connaître : comprendre.
contenter (se) : être content.
crime : tout manquement grave à la morale.
damoiseau (ironique) : jeune séducteur.
déplaisir : profonde douleur, désespoir.
disgrâce : infortune, malheur.
éclaircir (s') : s'informer.
ennui : tourment.
entendre : comprendre.
éventé : écervelé.
fatal : mortel.
faux : trompeur.
feux, feu : amour.
foi : parole.
furie : impétuosité.
galant (n., ironique) : celui qui fait la cour à une dame.
gens : domestiques.
habile : intelligent et instruit (s'oppose à simple et ignorant).
hardes : vêtements.
heur : chance.
honnête : respectueux des bienséances et de la raison.
honnêtement : poliment.
impertinent : sot, extravagant.
impertinence : sottise.
indiscret : qui manque de discernement.
inquiet : agité.
inquiéter : ne pas laisser en repos.
instruction : conseil, directive.
intelligence : complicité.
mander : faire venir.
nourrir : élever.
objet : femme aimée.
procédé : façon d'agir.
régaler : fêter.
ruine : dépérissement, destruction.
sans doute : sans aucun doute.
soin : souci.
sot : euphémisme pour cocu dans certains contextes.
souffrance : tolérance, complaisance.
souffrir : supporter, tolérer.
transport : manifestation vive d'un sentiment (amour, joie, colère, etc.).

Ouvrages généraux

•

François Bluche, *Louis XIV*, Fayard, Paris, 1986.
François Bluche (sous la direction de), *Dictionnaire du Grand Siècle*, Fayard, Paris, 1990.
Georges Mongrédien, *La Vie quotidienne des comédiens au temps de Molière*, Hachette, Paris, 1950.
Antoine Adam, *Histoire de la littérature française au XVIIe siècle*, Domat, Paris, 1956, 5 vol. : Molière au tome III.
Henriette Houillon, *La Femme en France aux XVIIe et XVIIIe siècle*, tome IV de l'*Histoire mondiale de la Femme*, Nouvelle Librairie de France, Paris 1966.
Madeleine Lazard, *Images littéraires de la femme à la Renaissance*, P.U.F., Paris, 1985.

Sur Molière

•

René Bray, *Molière, homme de théâtre*, Mercure de France, Paris, 1954 : l'œuvre expliquée par les contraintes des traditions et du métier d'acteur.
Alfred Simon, *Molière, une vie*, La Manufacture, Paris, 1988 : la plus récente étude biographique.
Jean-Pierre Collinet, *Lectures de Molière*, « U 2 », Armand Colin, Paris, 1974 : les réactions devant le théâtre de Molière du XVIIe siècle à nos jours.

Pour étudier *L'École des femmes*

•

Paul Bénichou, *Les Morales du Grand Siècle*, Bibliothèque des Idées, Gallimard, Paris, 1948 : important chapitre sur Molière.
Marcel Gurtwirth, *Molière ou l'invention comique*, Minard, Paris, 1966 : du personnage du barbon à Arnolphe.

Mises en scène de *L'École des femmes*

•

Maurice Descotes, *Les grands rôles du théâtre de Molière*, P.U.F., Paris, 1960 : interprétations d'Arnolphe, d'Agnès, d'Horace au théâtre depuis le XVIIe siècle.
Louis Jouvet, *Molière et la comédie classique* (extraits des cours de Louis Jouvet au Conservatoire), Gallimard, Paris, 1965 : scènes de *L'École des femmes*.
Michel Corvin, *Molière et ses metteurs en scène d'aujourd'hui*, Presses universitaires de Lyon, Lyon, 1985 : mise en scène de Vitez, 1978.

Crédits photographiques :
p. 4 Hachette. **p. 8** Frontispice de l'édidion de 1682, TALL/SIPA icono. **p. 9** Page de titre de l'édition originale de *L'École des femmes* de 1663, Hachette, photo BN. **p. 11** Fragment du tableau des « Farceurs français et italiens », Molière dans le costume d'Arnolphe, au centre, Hachette. **p. 35** Alain Sauvan/Enguerand. **p. 38** Brigitte Enguerand. **p. 54** Illustration de Desenne, Hachette. **p. 63** Bernand. **p. 67** Louis Jouvet au Théâtre de l'Athénée, 1936, Lipnitzki. **p. 68** Pierre Dux à la Comédie Française en 1973, Bernand. **p. 78** Décor de Christian Bérard, Athénée, 1936, Lipnitzki. **p. 80** Hachette. **p. 85** Louis Jouvet, Athénée, 1936, Lipnitzki. **p. 99** Bulloz. **p. 102** Mademoiselle de Brie dans le rôle d'Agnès à la Comédie Française en 1680, Hachette. **p. 107** Hachette. **pp. 128-129** Comédie Française, 1959, Lipnitzki. **p. 135** Costume d'Arnolphe, gravure 1787, Hachette. **p. 145** Lipnitzki. **p. 152** Berthe Bovy dans le costume d'Agnès en 1887, Hachette. **p. 154** Mise en scène de Marcel Maréchal au Théâtre de La Criée en 1988. **p. 161** Hachette. **p. 167** Une ruelle de lit au XVIIe siècle ; dessin de Thérond d'après Jean le Paultre, Roger-Viollet. **p. 188** Alain Olivier et Irina Dalle dans une mise en scène d'Alain Olivier en 1990.

Imprimé en France – Imprimerie Hérissey, Évreux – N° 87298
Dépôt légal N° 04135-06/00 – Collection N° 10 – Édition N° 11

16/6350/9